Nous remercions le ministère du Patrimoine canadien,
la SODEC et le Conseil des Arts du Canada
de l'aide accordée à notre programme de publication

Patrimoine canadien | Canadian Heritage

Conseil des Arts du Canada | Canada Council for the Arts

ainsi que le gouvernement du Québec
– Programme de crédit d'impôt
pour l'édition de livres
– Gestion SODEC.

Nous reconnaissons l'aide financière
du gouvernement du Canada
par l'entremise du Programme d'aide au développement
de l'industrie de l'édition (PADIÉ) pour ce projet.

Illustration de la couverture :
Jérôme Mireault, pour Colagene

Conception de la maquette :
Mélanie Perreault et Ariane Baril

Montage de la couverture :
Conception Grafikar

Édition électronique :
Infographie DN

Dépôt légal : 1er trimestre 2008
Bibliothèque nationale du Canada
Bibliothèque nationale du Québec

1234567890 IML 098

ISBN 978-2-89633-018-8
11240

Adeline, porteuse de l'améthyste

Catalogage avant publication de Bibliothèque et Archives nationales du Québec et Bibliothèque et Archives Canada

Perreault, Annie

Adeline, porteuse de l'améthyste

(Conquêtes ; 113)
Pour les jeunes de 14 à 17 ans.

ISBN 978-2-89633-018-8

I. Mireault, Jérôme. II. Titre III. Collection : Collection Conquêtes ; 113.

PS8631.E748A62 2008 jC843'.6 C2007-941546-6
PS9631.E748A62 2008

Annie Perreault

Adeline, porteuse de l'améthyste

roman

9300, boul. Henri-Bourassa Ouest, bureau 220
Saint-Laurent (Québec) H4S 1L5
Téléphone : 514-335-0777 – Télécopieur : 514-335-6723
Courriel : info@edtisseyre.ca

Remerciements

À mon « coach » en écriture et amie, Josée Levesques, M.A. en études littéraires, pour ses nombreux et judicieux conseils.

À mes parents, Françoise et Lucien, et à leurs conjoints respectifs, qui ont cru en moi et qui m'ont encouragée à persévérer, chacun à leur manière.

À mon conjoint, Pierre, pour son amour, son humour, sa très grande générosité…

À Benjamin et Rafaël, mes trésors de fils, qui tous les jours m'apprennent à aimer.

À l'équipe des Éditions Pierre Tisseyre, qui m'a permis de réaliser mon rêve, et plus spécialement à Mélanie Perreault, ma directrice littéraire.

« Nous devons accepter notre existence aussi complètement possible. Tout, même l'inconcevable, doit y être possible. Au fond, le seul courage qui nous est demandé est de faire face à l'étrange, au merveilleux, à l'inexplicable que nous rencontrons. »

Rainer Maria Rilke,
Lettres à un jeune poète

1

Une peur inconnue

Septembre.

Adeline pénètre dans son ancienne chambre. Un petit pincement au cœur la saisit.

— Oh!

Sa voix fait écho dans cet espace cubique, presque vide. Plus d'affiches sur les murs, plus de livres dans les bibliothèques, un lit tout nu, une garde-robe vidée. Quelques boîtes traînent encore sur le plancher, dernières babioles empaquetées avec minutie par sa mère. Tout le reste est à son nouvel appartement, 257, rue des Automnes, au centre-ville.

La jeune femme se dirige vers la fenêtre. En ouvrant les battants vitrés, elle sent une chaude brise lui caresser le visage. Le souffle de cette fin d'été s'immisce dans la pièce. La senteur d'herbe fraîchement coupée lui chatouille le nez. Elle se penche et aperçoit son voisin Marco. Il tond la pelouse sur le tracteur ultramoderne qu'il a remonté de toutes pièces. Les écouteurs dans les oreilles, il chante à tue-tête.

Des éclats de rire retentissent à sa droite. La mère et le père d'Adeline sortent de la maison. Son paternel transporte un seau rempli d'eau chaude savonneuse. Il n'arrête pas de titiller la mère d'Adeline au visage avec l'éponge. Adeline le sait : son père adore entendre rire sa mère. *Il est si amoureux d'elle*, pense-t-elle, attendrie.

En regardant ses parents, l'adolescente s'assoit sur le bord de la fenêtre. Elle plaque ensuite sa tête contre le cadre, songeuse. Depuis qu'elle est petite, cet endroit a toujours été pour Adeline un espace où laisser libre cours à ses pensées. Un lieu sacré qu'elle imagine mystérieux telle une frontière entre deux mondes : le monde infini du dehors et celui plus intime de sa chambre. Ses yeux fixent en face d'elle, juste à la hauteur de son nez, de petites entailles qu'elle a par le passé creusées dans le bois avec son canif. Ces courtes lignes parallèles, dissimulées derrière les rideaux de dentelle blanche, forment une sorte de chemin de fer sans rails.

Adeline ébauche un sourire, mais il s'efface aussitôt. Un trouble s'empare d'elle. L'adolescente glisse une main dans sa poche de pantalon. Elle en ressort une pierre mauve, une améthyste, qu'elle manie avec agilité entre ses doigts. Celle-ci brille sous la lumière du soleil. La jeune femme observe de nouveau ses parents, en fronçant les sourcils.

— Comment font-ils ?

Comme si la nature lui répondait, une brise soudaine fait vriller les feuilles jaunes de l'érable qui se dresse près de la fenêtre. L'une d'entre elles se détache et vole en sa direction. La feuille passe devant Adeline pour atterrir sur le plancher, près des boîtes. L'adolescente entend un bruissement dans l'arbre, le vent se faufilant entre les branches. Des pensées effleurent sa conscience : sa mère, son père, vivant dans une éternelle bulle hermétique, heureux, prévisibles, routiniers. Alors qu'elle... Adeline soupire. Elle frissonne. Le souvenir de ce qu'elle a vécu pendant les derniers mois est toujours imprégné dans sa chair. Puis elle remonte dans le temps...

Depuis l'âge de six ans, et jusqu'à dernièrement, Adeline recevait de nombreuses déclarations amoureuses. Elle n'avait pourtant rien d'extraordinaire. Tous les matins, le miroir lui retournait l'image d'une fille grande et mince, aux yeux verts en amande surplombant un nez à la Cléopâtre parsemé de taches de rousseur. De longs cheveux raides et noirs recouvraient ses épaules. Adeline s'était toujours considérée comme une fille ayant un certain genre, sans pour autant être un « top-modèle ». Cette jeune femme, qui adore les sports, le jeu d'échecs et l'école, menait une vie somme toute « normale », avec des amis « normaux » et des parents bien ordinaires. Sauf que chaque année, à son grand étonnement – et curieusement toujours durant la période de la pleine lune –, des garçons lui écrivaient des lettres, lui téléphonaient ou bien venaient la rencontrer pour lui dire qu'ils l'aimaient. Et elle ne s'en était d'ailleurs jamais vanté…

Pourquoi ? Eh bien, chaque fois que cela lui arrivait, Adeline éprouvait un mélange de gêne, d'incrédulité et de peur. Elle ne savait jamais comment réagir. Une profonde mélancolie s'installait dans son âme, comme si une bouffée de tristesse surgissait d'un gouffre inconnu à l'intérieur d'elle et l'envahissait complètement.

Le pire, c'était quand le garçon lui déplaisait ou bien l'ennuyait, car elle détestait se voir contrainte de lui avouer qu'elle ne l'aimait pas. Sans compter qu'aussitôt se produisait un phénomène insolite et hors de son contrôle.

Des scènes atroces d'hommes brisés et meurtris défilaient dans sa tête, sans qu'elle puisse les refréner. Ces images arrivaient souvent par flashs. Des types aux idées noires. En déprime. Au visage creux. Solitaires. Aux yeux cernés et rougis de larmes. Adeline le sentait, ces hommes désiraient s'enlever la vie. Ces horribles visions, qui lui paraissaient si réelles, la laissaient toujours avec l'affreux pressentiment que la mort rôdait. Ce qui épouvantait l'adolescente : une pression l'accablait dans sa poitrine comme si plusieurs mains poussaient contre son cœur. Afin de préserver son équilibre, par la force de la pensée, elle chassait le plus rapidement possible ces troubles et ces visions. Elle reportait alors son attention sur des blagues hilarantes que ses amis lui avaient racontées, sur ses prochaines parties de squash ou d'échecs, ou sur les matières scolaires qu'elle préférait... Parce que son côté rationnel avait toujours été le plus fort, elle tentait ainsi, et avec un certain succès, de balayer cette peur irraisonnée de la mort. Vite, Adeline voulait oublier, effacer toutes les images complices de sa frayeur, qui étaient trop pénibles.

Ce n'est pas qu'elle n'aimait pas les garçons. Au contraire, ses meilleurs amis sont des gars. Sa première amourette, elle l'avait vécue avec un copain, à l'âge de six ans.

Cette année-là, elle avait l'œil rivé sur Sylvain, un gamin aux pupilles noires scintillantes. Fils d'un couple d'amis de ses parents, il était venu lui rendre visite une fois avec sa famille. Lui, son frère et elle avaient joué à la cachette dans la maison. Durant le jeu, Sylvain l'avait rejointe dans une penderie. Il avait pris sa main et lui avait demandé : « Lequel tu préfères entre moi et mon frère ? » Elle lui avait répondu que c'était lui. Les yeux de Sylvain s'étaient illuminés. Il l'avait embrassée sur la joue. Ensuite, aussi vite qu'il était entré dans la garde-robe, il en était reparti pour se cacher ailleurs. Adeline était restée là, immobile. C'était la première fois qu'un garçon l'embrassait. Elle avait effleuré du doigt sa joue légèrement mouillée. Son cœur, elle s'en souvient encore, avait cogné fort dans sa poitrine.

À l'âge de sept ans, Adeline reçut une autre déclaration d'amour. Cette fois, c'était de la part de son petit voisin Marco. Tous les jours, ils s'amusaient ensemble. L'un de leurs passe-temps favoris était la « Marche des peurs ». Ils circulaient dans la rue et scrutaient les résidences en s'imaginant des histoires terrifiantes sur leurs propriétaires. Un matin, Marco s'était arrêté, puis avait contemplé Adeline, avec ses grands yeux bleus. Le visage tout rouge, il lui avait dit en touchant avec délicatesse une mèche de sa queue de cheval :

« Adeline, j'aime tes cheveux longs et ton petit nez picoté. » Elle savait, grâce à sa sensibilité d'enfant, qu'il lui avouait ainsi son amour. Comme elle le trouvait mignon, elle avait pris sa main, et ils avaient poursuivi leur marche.

Cette amourette n'avait duré qu'une semaine et demie. Aujourd'hui, Marco est toujours son voisin. Il s'est inscrit à un DEP en mécanique industrielle. C'est un fou de mécano, un génie, et un de ses très bons amis. C'est justement lui qui, en ce moment, chante extrêmement faux, bien assis sur son tracteur à pelouse.

Avec les années, les confessions amoureuses que la jeune femme recevait devenaient de plus en plus intenses et intimidantes. Et depuis un an, l'améthyste, qu'Adeline portait toujours sur elle, réagissait chaque fois. Ce phénomène se produisait surtout quand elle devait avouer au garçon qu'elle n'était pas intéressée.

Au début de son deuxième secondaire, par exemple, un adolescent, dont elle ignorait l'identité, avait barbouillé sa case de messages tels : « Je t'aime comme un fou ! Je ne peux vivre sans toi ! Tu es mon rêve… » Il glissait même des lettres passionnées dans son casier, son sac à dos et ses bouquins. Il était vraiment accro. Pendant deux ans, il ne l'avait pas lâchée. Elle avait longtemps cherché l'identité de cet admirateur secret, mais en vain. C'est en quatrième secondaire, seulement, qu'il s'était enfin dévoilé.

Il lui avait écrit un petit mot à l'encre rouge sur un bout de papier qu'elle avait déniché dans son livre de français. Ce message l'invitait à se rendre au banc sous le chêne centenaire dans la cour d'école vers midi. Adeline était arrivée en avance au rendez-vous. Le soleil plombait. Intriguée, elle attendait patiemment que l'amoureux secret se montre. Elle avait sorti l'améthyste de sa poche. La pierre, entre ses doigts, l'apaisait. Sous les rayons chauds, les yeux fermés, elle avait essayé d'imaginer quel genre de garçon il pouvait être.

Quelques minutes plus tard, l'adolescente avait rouvert les yeux et remarqué un jeune homme qui s'approchait timidement. *Est-ce lui ?* s'était-elle demandé. Ses cheveux longs et noirs étaient retenus vers l'arrière et une chemise hawaïenne recouvrait ses épaules étroites. Adeline l'avait aussitôt reconnu. C'était Luc. Depuis le début du secondaire, il avait toujours été dans l'un de ses cours. L'année dernière, les deux adolescents avaient même formé une équipe pour un travail de recherche sur l'œil humain en biologie. Ils étaient bons amis.

Luc s'était assis à côté d'elle. Il l'avait regardée avec insistance. C'était réellement lui ! Adeline avait soupiré, discrètement. Jamais elle n'aurait cru que ce garçon pouvait être son fervent admirateur. Il n'était vraiment pas son style : intellectuel, maigrelet, premier de classe, maniaque de l'informatique... Elle qui détestait l'informatique !

À cet instant précis, la pierre s'était réchauffée entre ses doigts. Un léger frisson avait parcouru le dos de la jeune femme.

Puis, son regard plongé dans le sien, Luc avait pris les mains d'Adeline avec douceur en lui avouant son amour. Elle était tout à ses yeux, disait-il. Il ne pouvait vivre sans elle. L'ardeur qui se dégageait de sa personne avait profondément touché l'adolescente et avait éveillé en elle cette peur inconnue... Comme toujours, une pression intenable s'était amplifiée dans sa poitrine. Adeline avait lâché un rire, un rire nerveux. Lui, il ne riait pas. Adeline avait éprouvé un malaise. Pourquoi avait-elle ri ? Allait-il penser qu'elle se moquait de lui ? Elle avait réagi comme une idiote. Et pourquoi avait-il fallu que Luc tombe amoureux d'elle ? Comment réagirait-il en apprenant qu'elle ne ressentait rien pour lui ?

Anticipant le pire, elle avait bafouillé en lui confiant qu'elle ne l'aimait pas. Le visage du garçon s'était assombri. Adeline avait retenu son souffle. Le jeune homme avait alors retiré ses mains et une larme s'était échappée de son œil droit. Troublée, Adeline était restée sans voix. Puis la pierre, cachée au creux de sa main, était une fois de plus soudain devenue très chaude. Au même moment, une image insoutenable était apparue dans sa tête. Adeline avait vu le jeune homme, les yeux cernés, la face allongée. Il tenait une corde entre ses mains. Elle en était persuadée, Luc voulait s'enlever la vie. Elle avait paniqué. D'un geste rapide, elle avait remis l'améthyste dans sa poche de pantalon. Et, pour se ressaisir, elle avait souri avant de lui dire qu'elle serait toujours son amie. Luc était demeuré impassible, les mots d'Adeline avaient été inutiles. Elle l'avait vu se relever, l'air complètement abattu. Il l'avait saluée gentiment et était reparti, à pas muets. Adeline l'avait regardé s'éloigner avec un nœud dans le ventre.

Quelques mois plus tard, sa famille avait déménagé et depuis, elle ne l'a plus revu.

À ce souvenir, un autre frisson saisit la jeune femme.

Toujours assise sur le cadre de sa fenêtre, elle observe avec attention la semi-précieuse qu'elle tient maintenant du bout des doigts, à la hauteur de son nez.

— Petite pierre mauve et mystérieuse, que me réserves-tu à présent ? Vas-tu de nouveau intervenir dans ma vie ?

L'améthyste, silencieuse, ne s'illumine pas. Elle reste froide. Adeline la porte à ses lèvres et chuchote :

— À cause de toi et de ce que tu m'as fait vivre, je ne serai plus jamais la même…

Une autre brise parfumée d'arômes de fin d'été caresse son visage au passage et pénètre dans sa chambre, transportant avec elle une seconde feuille morte. Cette dernière tombe elle aussi au sol près des boîtes. Adeline inspire en profondeur pour goûter les senteurs. Elle ferme les yeux, appuie sa tête contre le bois. Elle veut se souvenir, encore, garder en elle toutes ces images du passé. Ne rien oublier de cette autre déclaration d'amour, étrange et intense, qu'elle a reçue cette année. Elle se rappelle exactement le jour où cette histoire a commencé.

C'était le matin du 15 octobre. Il y a onze mois…

2

Des mots troublants

15 octobre.

Ce matin-là, Adeline sortait de la maison pour se rendre à ses cours. Le ciel grisonnait et il ventait à écorner les bœufs. Sur le sol, des feuilles mortes tourbillonnaient, soulevées par la forte brise. Mais les érables argentés, qui surplombaient l'entrée de la demeure, gardaient fermement leurs feuilles sur leurs branches inclinées par la bourrasque.

Adeline, frigorifiée, enroula son foulard de laine autour de son cou tout en refermant la porte. Puis elle sentit quelque chose sous son pied. Elle se pencha pour regarder : un bout de papier blanc dépassait la pointe de son espadrille. C'était une enveloppe. N'était-il pas bizarre qu'une lettre se retrouve là, sur le paillasson ? Elle pensa aussitôt que ce courrier appartenait à sa mère. Tous les matins, cette dernière se transformait en un vrai coup de vent. Ève se levait, s'habillait, déjeunait et quittait la maison à la vitesse grand V. Il était fort probable qu'elle ait échappé cette lettre en sortant. Adeline la ramassa.

Son sang fit un tour quand elle vit qu'elle lui était adressée. Avec délicatesse, elle l'ouvrit, et retira la feuille de l'enveloppe. En chemin vers l'école, elle lut la lettre.

Chère Adeline,

J'ai un urgent besoin de toi. Tout mon corps crie mon amour, mais je ne peux pas te l'exprimer en personne. Tu es la musique de mon cœur, le souffle de ma passion. J'ai mal, Adeline ! Je suis malade... de toi ! Je suis fou de toi ! Complètement dingue ! Je t'aime. Je t'aime.

Adeline, je ne te dirai jamais qui je suis. Un abysse nous sépare. Mais sache que je resterai là, dans l'ombre, à t'aimer, comme un gars n'a jamais aimé une fille !

Émue, l'adolescente relut ces phrases deux ou trois fois. Elles avaient été écrites au traitement de texte. Elle reconnaissait même la police. Adeline avait scruté le message sous tous ses angles, cherchant une trace de l'identité de l'auteur, mais rien... Le cœur de l'adolescente tambourinait jusque dans ses oreilles.

L'auteur de cette missive, pensa Adeline, *maîtrise vraiment l'art de s'exprimer.* Aucune faute d'orthographe n'y apparaissait. Et les mots avaient réussi à faire vibrer une corde sensible à l'intérieur de la jeune femme. Adeline avait l'habitude de recevoir des déclarations, mais ce message l'avait vraiment remuée. Ses joues s'empourprèrent. Elle respira un bon coup en repliant la feuille avec douceur. Puis elle l'inséra dans son sac.

En marchant vers la polyvalente, les mains emmitouflées dans ses poches de manteau, elle fronça les sourcils. *Mais qui a bien pu m'écrire comme ça?*

Sans crier gare, une vague de tristesse l'envahit, accompagnée d'un puissant sentiment de remords, comme si elle avait commis une grave bêtise, une impardonnable maladresse. Adeline eut envie de pleurer, mais se retint. Que diraient les passants à la vue de ses larmes? Une pression monta dans sa poitrine. Un frisson lui glaça les veines. La jeune femme serra son manteau contre elle et fourra son nez dans son foulard. Elle reconnaissait les signes de cette peur inexpliquée, celle qu'elle éprouvait chaque fois qu'elle recevait une déclaration d'amour. Elle pensa aussitôt à Marco quand il lui avait dit, il y avait plusieurs années, qu'il aimait son nez picoté. En peu de temps, ce souvenir adorable réussit à balayer sa tristesse…

Trois minutes plus tard, elle arriva à l'école. Comme chaque matin, Jacob l'attendait non loin de la cour, une cigarette aux doigts.

Adeline connaissait Jacob depuis la deuxième année du primaire. Cette année-là, ils faisaient tous les deux partie du groupe de madame Lafrenière. Lors de la première rencontre de parents, leurs mères avaient fraternisé. Elles avaient discuté de Jacob, d'Adeline, du travail, des loisirs… L'enseignante avait dû les interrompre afin de commencer la réunion.

Les deux mères avaient ensuite continué à se voir régulièrement. Et les deux enfants, par la force des choses, avaient développé une très belle amitié.

Jacob avait de beaux yeux. La teinte de ses iris, qui se perdait entre le gris et le vert, avait toujours fasciné Adeline. Son regard lui faisait penser au creux de l'océan, profond et mystérieux. Jacob n'avait pas une silhouette athlétique comme elle aimait retrouver chez la gent masculine. Mais son style, avec ses cheveux ébouriffés et ses vêtements décolorés, lui plaisait. Elle appréciait surtout l'originalité de son ami, son humour bien à lui et son côté parfois énigmatique. Adeline le savait : même s'il était son meilleur ami, Jacob ne lui disait pas tout. Une part d'ombre subsistait en lui, précieusement cloîtrée dans son cœur. Et parce qu'elle le respectait, jamais l'adolescente ne dépassait cette frontière qu'il avait délimitée autour de lui.

Ce jour-là, comme tous les autres, la jeune femme marchait donc vers la cour d'école en direction de Jacob qui l'attendait. Il écrasa sa cigarette et s'avança vers elle, le regard coquin :

— Adeline, as-tu couru ? Tu es toute rouge ! Ça va ? Tu n'es pas malade, au moins ?

Il avait prononcé ces mots en feignant d'agir comme leur infirmière, Juliette Lacroix, qu'ils avaient amicalement surnommée « la sorcière ». Il avait tâté le visage d'Adeline, vérifié sa pulsation cardiaque au poignet. En bougeant dans tous les sens, il prit une voix de fausset pour lui recommander :

— Deux tisanes à la camomille, trois grandes respirations, un gâteau au chocolat, et tu seras guérie !

— Tu es fou ! répliqua-t-elle en riant.

— Qui est fou ? demanda une voix grave derrière eux.

C'était Marco, le voisin d'Adeline. Le futur mécano venait d'arriver sur son vélo reconstruit de A à Z : un nouveau modèle signé Marco Chouinard.

— C'est lui, voyons ! lança Adeline en secouant le bras de Jacob. Il vient d'interpréter avec brio le rôle de Juliette Lacroix. Tu sais, l'infirmière ?

Marco s'approcha d'eux, l'air railleur en plissant ses petits yeux rieurs.

— Juliette Lacroix ? Connais pas ! C'est qui ? plaisanta-t-il en rangeant sa bicyclette.

DRING !

— Allez, les gars ! C'est l'heure !

Adeline s'avança vers Jacob.

— La rougeur de mes joues, lui dit-elle, est sûrement causée par ce vent fou qui hurle depuis ce matin. Ça sent la tempête, non ?

Il lui fit une œillade amusée. Puis soudain, comme en proie à une vive douleur, il crispa les muscles de son visage. Pendant plusieurs secondes, Jacob grimaça en se prenant la tête entre les mains. Marco marcha vers eux en serrant les poings. Son regard croisa celui d'Adeline, et la jeune femme tressaillit. Dans ses yeux, elle avait remarqué la lueur d'une grande tristesse. Elle se tourna vers Jacob, qui avait encore la tête entre les mains et qui avait penché son corps vers l'avant. Elle posa une main sur son épaule.

— Jacob ? Ça va ?

Le garçon respirait profondément en massant son front. Des secondes s'écoulèrent dans le silence. Avec un grand sourire, il finit par relever la tête et plongea ses pupilles dans celles d'Adeline.

— Je t'ai fait peur, hein ? lui demanda-t-il, sur un ton moqueur.

— Quoi ? Tu faisais semblant ? Ah... toi ! dit-elle en se précipitant sur lui. On ne joue pas avec mes émotions comme ça, Jacob Thivierge !

— Sauve-toi, Jacob ! Je la tiens ! cria Marco.

Adeline sentit la prise de Marco sur son bras. Il serrait fort. Impossible pour elle de se libérer. Déçue, l'adolescente dut abandonner sa tentative de vengeance...

En se dirigeant vers l'entrée, Adeline songeait qu'elle avait maths, français et anglais. Une sacrée journée pour elle, qui annonçait un surplus de devoirs à faire en soirée ! Mais la jeune femme était tout de même heureuse, car elle avait un cours de français. Cette année, un nouveau prof fraîchement sorti de l'université, et assez beau, donnait ce cours. Il portait parfois, le plus souvent le jeudi, un jean serré qui lui formait une paire de fesses du tonnerre. Les filles de la classe avaient souvent les yeux braqués sur son derrière. Et le plus drôle était de voir l'enseignant, très timide, rougir comme une tomate quand il les surprenait à le lorgner ainsi. Chaque fois, Adeline retenait de justesse son fou rire. Il faut dire qu'elle compatissait avec lui, car elle connaissait, elle aussi, cette pénible sensation du feu aux joues.

Pendant les cours, Adeline s'amusait à se figurer Daniel tout nu. Cet homme était vraiment son type. Il avait une peau basanée et une mâchoire virile comme elle les aimait. Des pommettes saillantes et des lèvres sensuelles rehaussaient son visage. Ses yeux, plus noirs que le charbon, surplombaient un nez droit, presque parfait. Ses avant-bras légèrement poilus et musclés lui en disaient long sur le reste de son corps. Cet homme la faisait rêver...

Parfois, Adeline songeait à ce qu'elle ressentirait allongée contre ce corps chaud. Imaginer les bras de Daniel l'enlacer et la presser contre lui, puis sa bouche couvrir ses lèvres avec une tendresse assoiffée. Entendre son souffle lui caresser la peau. S'abandonner à ce désir qui brûlerait dans son ventre. À ces pensées, une vive chaleur s'intensifiait dans les hanches de la jeune femme. Elle adorait cette sensation, cette excitation au creux de son bassin. Elle n'éprouvait aucune gêne à la vivre. Au contraire, fascinée, elle l'apprivoisait, elle apprenait à la connaître.

Adeline était curieuse et intriguée par la sexualité, même si, à seize ans, elle n'avait pas encore fait le « grand saut ». *Quel paradoxe !* se disait-elle, un sourire en coin. *Avec la tonne de petits amis et de prétendants que j'ai eus !* Mais Adeline se respectait, elle voulait attendre le bon gars. Plusieurs élèves commençaient à jaser... « Frigide », « encore vierge », « pas *in* », avait-elle entendu chuchoter sur son passage. La jeune femme ignorait ces propos, sachant que son jour arriverait tôt ou tard.

Ce Daniel, espérait-elle en secret, serait peut-être le bon gars. Une chose était certaine : il l'attirait irrésistiblement...

Adeline, Jacob et Marco entrèrent enfin dans l'école pour ensuite se diriger vers leurs cases respectives. Jacob commençait la journée avec un cours de vie économique, tandis qu'Adeline débutait en mathématiques. Et Marco, le rebelle, devait se rendre dans l'aile ouest de l'école, là où se donnaient les cours de troisième secondaire. Marco avait aussi seize ans, mais il reprenait pour la troisième fois son troisième secondaire. « Trois fois le trois, le taquinait souvent Adeline, c'est extrêmement symbolique, Marco ! » Il ne manquait jamais de la fusiller du regard.

Le père de Marco, un grand médecin de la région, en avait honte. Il ne comprenait pas pourquoi son fils ne jouissait pas du même quotient intellectuel que lui. Un vrai scandale, pour le fier universitaire ! Mais Marco n'en avait que faire de son vieux. Ce qu'il aimait avant tout, c'était les engins : voitures, motos, camions, motoneiges, machinerie lourde... La géométrie et l'algèbre, la grammaire et la composition, puis toutes les autres matières ne représentaient rien à ses yeux. L'école et lui : incompatibilité garantie ! C'est pour cette raison qu'il voulait s'inscrire à un DEP l'année suivante.

Avec Marco, Adeline pouvait faire tous les sports qu'elle voulait : vélo de montagne, squash, planche à neige... Quand le goût d'évacuer un surplus d'énergie la prenait, elle l'appelait, et il acceptait toujours de l'accompagner. Comme Adeline, il adorait bouger. Ce qui les liait était justement leur passion commune pour l'activité sportive, mais aussi le souvenir d'enfance de cette charmante déclaration d'amour faite par Marco, lorsqu'ils avaient joué à la « Marche des peurs ».

Ce joyeux souvenir en tête, Adeline sourit, tout en plongeant les bras dans sa case pour prendre ses manuels de mathématiques.

Perdue dans ses pensées, elle se dirigea ensuite vers le deuxième étage, entra dans le local puis s'assit à son pupitre. La jeune femme songeait de nouveau à cette mystérieuse lettre. *Seule une personne connaissant bien son français peut écrire de cette façon*, se disait-elle lorsque le timbre du début des classes retentit dans l'école.

3

Un songe au goût amer

Adeline avait essayé de passer la matinée à se concentrer sur ses cours afin d'oublier la lettre anonyme. Elle y parvint, comme toutes les fois où elle voulait garder le contrôle sur ses pensées. Mais sur l'heure du dîner, parce qu'elle sentait le besoin de se confier à un ami, elle décida d'en parler à Jacob. Assise à une table en dégustant les hot-dogs de la cafétéria, elle lui raconta tout.

— Pauvre Adeline ! railla-t-il. Encore un prétendant à tes trousses, un frustré incapable de t'avouer son amour en personne !

Ensuite, il blagua sur les innombrables déclarations qu'elle recevait chaque année. Il s'esclaffait d'un rire noir et cinglant. Adeline avait éprouvé un profond malaise. L'humour de Jacob, cette fois, lui avait fait mal, comme s'il bafouait un sentiment sacré. *Mais qu'a-t-il donc?* se demanda-t-elle. Ce matin, il lui avait joué une comédie morbide et là, il se moquait d'elle. *Voyons, Jacob,* pensa-t-elle, *je suis tout de même ta meilleure amie!* Une lueur de furie inhabituelle jaillit des yeux de Jacob. Un rictus anormal s'ajouta aux plis de son front. Puis, plus un mot. Le jeune homme s'enferma dans sa bulle où personne encore, pas même Adeline, n'avait pu pénétrer.

De longues minutes s'écoulèrent. Jacob, le nez dans son assiette, jouait dans ses frites avec une fourchette sans rien manger. Habituellement, il avait un appétit d'ogre et s'empiffrait à une vitesse vertigineuse. Mais ce midi-là, deux saucisses coincées dans du pain grillé séchaient devant lui.

Une horde d'élèves criait, riait, discutait dans la cafétéria... Mais dans cette cacophonie journalière, un curieux silence s'était glissé entre Jacob et Adeline. La jeune femme termina son repas, consciente que son ami était de nouveau plongé dans sa tourmente. Parfois, il s'échappait dans cette parcelle de lui, une terre sauvage inaccessible et inconnue pour elle... La mine défaite, elle soupira. Elle n'aurait pas dû se confier à lui. Adeline détestait voir Jacob dans cet état. Elle se sentait exclue. Mais elle ne s'en offusquait pas, car Jacob, elle s'en doutait, avait ses problèmes comme tout le monde.

— Salut, Jacob! dit-elle en se levant doucement de table.

Il ne répondit pas. La gorge nouée, elle le quitta. Une partie de basketball l'attendait.

Adeline terminait la journée en informatique. Quinze minutes avant la fin du cours, elle amassa ses bouquins sans bruit en les empilant les uns sur les autres. Elle lança un regard par la fenêtre. Les autobus scolaires arrivaient. Chaque jour, à la même heure, ces boîtes métalliques orange sur roues se faufilaient à leurs places respectives, comme si elles avaient été programmées. Adeline observait ce tableau en songeant à Jacob et à son attitude bizarre quand un rayon de soleil se réfléchit sur le pare-brise d'un autobus et vint l'aveugler. Elle se détourna. Aussitôt, un malaise indéfinissable s'empara de la jeune femme. Elle inséra une main dans sa poche de pantalon, en quête de l'objet... Lorsqu'elle était troublée, Adeline manipulait son améthyste entre ses doigts. Le contact de la pierre avait sur elle un effet apaisant.

La minuscule semi-précieuse, qui lui servait de porte-bonheur, lui avait été offerte par sa tante Viviane, quand Adeline avait six ans.

Depuis, elle la transportait toujours avec elle. Aussi gardait-elle en mémoire, comme une sorte d'énigme que l'esprit tente insatiablement de résoudre, chacune des phrases que sa tante avait prononcées en lui remettant la pierre :

« Petite Adeline, parce que je t'aime et que tu es ma préférée, je t'offre cette améthyste. Une vieille femme, que j'ai rencontrée en Hongrie lors d'une expédition en montagne, me l'a confiée en me disant de la redonner un jour à une personne qui me tiendrait beaucoup à cœur. Et c'est toi, l'élue ! Es-tu contente ? La vieille femme m'a aussi raconté que cette améthyste possède un étrange pouvoir. La pierre lui a permis de survivre lorsqu'elle était prisonnière dans un camp de concentration allemand, durant la Seconde Guerre mondiale. Elle l'avait trouvée, par hasard, sur le sol dans la cour, puis l'avait cachée sur elle. Par la suite, cette femme avait senti une protection, comme si la pierre avait façonné un espace autour d'elle, une frontière invisible qui la préservait des méchancetés que les Allemands infligeaient aux détenus. Ma petite Adeline, à cette époque, plusieurs Allemands n'étaient pas très, très gentils. Quand la guerre fut terminée, cette femme avait pu retourner dans son pays, avec la pierre. Elle m'a expliqué qu'à chaque pleine lune, elle vénérait l'améthyste par un rituel que des hommes vêtus de blanc lui avaient dévoilé dans ses rêves. Adeline, sache que cette pierre m'a beaucoup aidée, moi aussi. Vois comme elle est douce et chaude. Elle sera ta meilleure amie... Ne t'en défais jamais. Je te la confie. Chère petite nièce, tu es maintenant la porteuse de l'améthyste. »

Lorsqu'elle avait touché la pierre pour la première fois, Adeline avait vu, le temps d'un soupir, l'image d'un homme apparaître au côté de sa tante. Il souriait et son corps illuminait. De longs cheveux noirs encadraient son visage élancé à la peau très blanche. Un symbole indéchiffrable était dessiné sur son front. Il portait des vêtements immaculés. La fillette s'était alors imaginé qu'un ange gardien protégeait sa tante.

Par la suite, Viviane avait disparu. Adeline ne l'avait plus vue pendant de longues années. Et cela l'avait attristée. Un vide s'était installé dans son cœur d'enfant. Elle aurait voulu connaître le pouvoir de l'améthyste, parler avec sa tante de son ange gardien et continuer de passer l'été chez elle comme elle le faisait chaque année. Mais les parents d'Adeline parlaient peu de Viviane. Un mystère planait sur elle. Six ans s'étaient ainsi écoulés. Puis, ses parents, qui avaient jugé leur fille assez vieille pour comprendre, lui avaient enfin avoué que Viviane avait été internée dans un refuge pour aliénés mentaux, qu'elle avait été victime d'hallucinations causées par une défaillance du cerveau. Après cette révélation, l'améthyste était devenue, aux yeux d'Adeline, encore plus importante que jamais.

Tenant toujours la pierre dans sa main, Adeline s'apprêtait à fermer son ordinateur quand soudain, un phénomène anormal se produisit.

D'abord, sa vue déclina. Ce fut comme si tout à coup la lumière dans la classe faiblissait. Elle crut à une tactique de leur enseignante pour les avertir de la fin du cours. Mais les autres élèves travaillaient à leur ordinateur comme si de rien n'était. Et Micheline, leur professeure, donnait des explications à Sophie, à l'autre bout de la classe. Il se passait donc quelque chose, mais elle était la seule à en être témoin.

Un vertige la saisit. Elle brandit les bras, agrippa l'écran : le plancher tanguait comme si elle était saoule. Son cœur s'emballa. Il battait à tout rompre, sans raison. Elle se sentait bizarre, mais vraiment bizarre ! À l'intérieur de son corps, elle avait l'affolante sensation d'être sur le bord d'un précipice et que, d'ici quelques secondes, elle allait tomber dans le vide. La forme de l'ordinateur, le dernier objet qu'elle percevait encore, se dissipa peu à peu derrière un brouillard gris dans lequel virevoltaient de minuscules billes lumineuses et argentées. Puis, elle entendit un « POC ! ». Comme le bruit d'un bouchon de bouteille de champagne qui saute. Adeline eut l'impression de sortir d'elle-même par le sommet de la tête. Une force inconnue semblait l'aspirer vers l'extérieur. Pendant un moment, Adeline ne vit que du gris, puis une lumière incandescente l'aveugla.

Elle se retrouva comme au centre de nulle part, dans le néant…

Un étrange silence s'épaississait.

Suis-je en train de mourir ? se demanda Adeline. *Il n'y a personne ici ! Où sont passés les élèves de la classe, les murs, les ordinateurs, mon professeur ? Ils ont tous disparu ! Où suis-je ?*

Le vide régnait autour d'elle.

Mais… qu'est-ce que c'est ? Des choses apparurent subitement, devant, à droite, à gauche, semblables à des spectres surgissant du brouillard. Ces formes se précisèrent et prirent place autour d'Adeline.

On dirait un paysage… Un sol soutint enfin la jeune femme. Elle respira mieux. *Ça sent l'automne,* constata-t-elle. *L'odeur me rappelle les Halloweens passées à la campagne, chez tante Viviane, avant qu'elle devienne folle.* Le chant des mésanges s'élevait à sa droite. Une immense clairière sauvage l'entourait. De la neige recouvrait le sol. Elle fondait, le temps était doux. *Ça ressemble à une des premières journées de novembre.* Une grande forêt, dense et sombre, encerclait la prairie. Aucun être humain, aucune maison !

Que se passe-t-il ? Adeline suffoqua. Elle se sentit affreusement mal, comme si elle avait commis un acte impardonnable.

J'ai honte. Je m'en veux. Une rage l'habitait. *Mais pourquoi ?* Elle transpirait. *J'ai chaud. Comme si j'avais couru pendant des heures.* Des brûlures élançaient même dans ses pieds. Incrédule, elle se pencha pour les regarder. *Hein ? Ils sont nus, écorchés et sales ! C'est impossible ! Où sont mes souliers ?*

Complètement désorientée, Adeline glissa une main dans ses cheveux. Ses doigts rencontrèrent quelque chose de mou et doux. Elle retira la chose de sa tête. C'était un vieux bonnet de laine ! *Comment est-il arrivé là ?* Elle aperçut à l'intérieur du bonnet un long cheveu blond. *BLOND ! J'ai les cheveux noirs, moi !* Adeline ne comprenait rien. Elle se mit à inspecter fiévreusement ses vêtements. Son jean et son chandail avaient disparu ! À la place, elle portait une robe bleue, délavée et usée. Un tablier recouvrait ses hanches et un vieux châle de laine enveloppait ses épaules. Elle était sale. Elle puait la sueur et la crasse !

Mais qui suis-je? Adeline avait l'impression d'habiter le corps, les pensées et les émotions d'une autre femme.

Tout à coup, un vent vint chatouiller les herbes à ses pieds. Un frisson la pénétra. Elle releva la tête, et son regard s'accrocha sur une forme au loin, à l'entrée du boisé. Quelque chose semblait bouger au bout d'une corde. D'instinct, elle courut dans cette direction. Plus elle approchait, plus l'horreur se dessinait dans son esprit. Ses entrailles se nouèrent.

Pas lui, oh! non, pas lui!

Une douleur aiguë s'accentua dans sa poitrine. *C'est trop affreux!* Poussée par l'urgence, elle força ses jambes à courir vers lui, avec l'espoir de ne pas arriver trop tard. Elle atteignit l'arbre, oppressée. Il ne bougeait plus. Elle s'agrippa désespérément au pantalon du pendu en injuriant tous les saints de la terre. Des larmes coulaient à flot sur ses joues.

Il est mort! Je suis arrivée trop tard. Il s'est enlevé la vie. Jamais je ne pourrai me pardonner mon insouciance. Jamais...

Enfin, cette femme qu'était devenue Adeline détacha l'homme. Le corps tomba sur le sol. Elle le prit et le colla contre le sien. Il était encore chaud. Elle plongea le nez dans ses cheveux. Ils sentaient le bois. *Comment ai-je pu être si ingrate et si cruelle ?* Elle le déshabilla afin d'admirer la chair dorée de celui qui l'avait aimée profondément. Elle l'embrassa sur les lèvres. Il goûtait la menthe. Puis avec les ongles, les doigts et des roches trouvées çà et là, elle creusa le sol légèrement enneigé.

Je nous creuse… une tombe.

— Adeline ! Adeline ! Réveille-toi ! C'est l'heure de partir.

Adeline ouvrit ses yeux, le visage collé sur la table d'ordinateur. Elle se redressa. Sa vue se stabilisa. Elle reconnaissait sa classe, mais la plupart des élèves avaient quitté le cours. Des picotements parcouraient tous ses membres, comme si une colonie de fourmis logeait sous sa peau. Elle grelottait. Son enseignante l'aida à se lever.

— Excusez-moi, Micheline, lui dit-elle, très embêtée. Je crois que je me suis assoupie.

— Ma grande, tu devrais te coucher plus tôt ce soir, lui conseilla l'enseignante en lui tendant ses livres.

— Euh… oui, oui. Merci.

Elle prit ses bouquins et sortit.

Déroutée, Adeline regarda autour d'elle. Les corridors arboraient une couleur verdâtre.

L'école empestait. Et les jeunes de la première secondaire, égaux à eux-mêmes, criaient et se chamaillaient devant elle. Les images du pendu lui revinrent en tête. Elle frémit. Mais qu'est-ce qui lui était arrivé ? Est-ce qu'elle avait dormi et rêvé tout ça ? Soudain, une chaleur s'intensifia sur sa cuisse. Adeline inséra une main dans sa poche de pantalon et toucha l'améthyste. La pierre était brûlante... Un spasme glacial parcourut son corps.

Cette expérience avait laissé en elle un arrière-goût de ressentiment mêlé de remords. Une tristesse infinie l'accablait, lui rappelant cette mélancolie qui s'emparait d'elle chaque fois qu'elle recevait une déclaration d'amour. Exaspérée, elle passa la langue sur ses lèvres. Celles-ci goûtaient la menthe...

— NOOOON !

Elle délirait. Absolument. Tout ça n'avait aucun sens.

Elle eut envie de voir Marco, faire une partie de squash avec lui, frapper fort sur la balle et transpirer un bon coup. Aussitôt arrivée à la maison, elle l'appellerait...

4

Un regard à la volée

Marco vint la chercher vers dix-huit heures. Le vent s'était calmé et les nuages s'écartaient pour montrer les rougeurs des derniers rayons de soleil. Dans cette lumière rosée, les deux amis firent une course en vélo.

— Le premier rendu au centre sportif ! lança Marco en décampant à toute vitesse sur sa bicyclette.

— Attends que je te rattrape ! lui cria Adeline derrière lui en pédalant comme une folle.

— Tu ne seras pas capable, Adeline. Je suis plus fort que toi.

— Quoi ? Tu penses ça ?

L'adolescente s'exécuta avec ardeur. Elle voulait le rejoindre, lui démontrer qu'elle était apte, elle aussi, à fendre l'air avec son vélo. Elle faillit réussir à plusieurs reprises, mais Marco jouait avec elle. Chaque fois qu'Adeline s'approchait de lui, son ami se retournait, lui envoyait un clin d'œil puis filait à toute allure. Après dix minutes d'effort soutenu, les muscles des cuisses d'Adeline se gonflaient, son cœur palpitait et elle haletait comme un chiot essoufflé. Elle abandonna. De toute façon, il fallait qu'elle le batte au squash. Elle aimait mieux garder ses énergies pour les parties à venir.

Quand elle arriva enfin au centre sportif, Marco l'attendait à l'entrée du complexe avec un sourire de satisfaction.

— Je t'ai encore une fois vaincue. Je te l'avais dit, je suis trop fort pour toi !

Adeline rangea son vélo et s'avança vers lui. Son copain rayonnait. Une petite mèche blonde tombait sur son front et des gouttes de sueur ruisselaient sur ses tempes. Le jeune homme, resplendissant de plaisir, guettait la réaction d'Adeline. Elle lui décocha un air dominateur. Il écarquilla aussitôt les yeux en pointant le doigt vers elle.

— Quoi ! Tu crois que tu vas me battre au squash ! Pfft ! Tu rêves...

Il ouvrit la porte en pouffant de rire. Adeline passa devant lui sans le regarder ni lui répondre. *Je l'aurai bien dans le détour, celui-là,* cogita-t-elle.

Ils jouèrent trois parties de cinq jeux, qui en tout durèrent trois heures. La pièce était hermétique et l'intensité, au rendez-vous. Adeline était en nage. Son t-shirt collait à sa peau et ses muscles lui faisaient mal. Aucune importance. Elle voulait vaincre Marco en évacuant du même coup le cafard créé par sa vision morbide de l'après-midi. Cogner la balle, ne plus penser, se concentrer sur le jeu. Il lui fallait à tout prix fuir cette émotion pénible, ce malaise persistant.

Entre deux frappes, elle sursauta. De l'autre côté de la vitrine qui s'élevait derrière eux, elle avait aperçu son professeur de français. Le manche d'une raquette sortait du sac qu'il transportait. Il semblait à Adeline qu'il la toisait. Était-elle son genre de fille? Secrètement, elle l'espérait, même si c'était impensable. Elle accrocha son regard à la dérobée et l'ardeur qu'elle y lut la saisit au plexus solaire. Une vive chaleur s'y logea. Puis…

— Aïe!

Elle venait de recevoir la balle sur la cuisse.

— Adeline! Mais qu'est-ce que tu as? lui demanda Marco en soulevant ses lunettes protectrices pour s'essuyer les yeux. On dirait que tu as vu un fantôme !

— Non, non ! Ça va ! J'ai juste été déconcentrée pendant quelques secondes, rétorqua-t-elle en récupérant la balle de squash.

Adeline se positionna dans le carré de gauche, et lui fit alors un de ses foudroyants services. Elle replongea dans la partie, laissant tous ses tracas de côté et souhaitant que le beau Daniel ait remarqué sa prouesse.

Vers vingt et une heures, elle et Marco quittèrent le centre. Il avait finalement gagné les deux premières rencontres et perdu la dernière. Même si elle n'avait pas réussi à avoir le dessus sur lui, l'adolescente était satisfaite de sa performance.

Son robuste adversaire l'accompagna jusqu'à l'entrée de sa maison et l'embrassa sur la joue pour ensuite repartir en vitesse. Intriguée, elle le regarda s'éloigner. Serait-il l'auteur de la lettre anonyme ? Elle esquissa un sourire, attendrie, en se rappelant cette fameuse marche des peurs... Son sourire tomba. L'aimerait-il encore ? Pourtant, depuis cet épisode lointain, il avait toujours agi avec elle comme un ami. Adeline secoua la tête. *Non*, pensa-t-elle, *Marco n'est pas du genre à écrire comme ça !*

La jeune femme resta sur le seuil, le dos appuyé contre la porte. Elle jeta un œil sur le ciel étoilé. Elle admirait les corps célestes, fascinée par la lumière qui émanait de ces astres. Elle repéra d'abord la Grande Ourse, puis la Petite Ourse. Mue par une sorte d'instinct, elle voulait trouver l'étoile Polaire ; celle qui servait, autrefois, de point de repère aux marins pour la navigation. Adeline espérait que cette étoile la guide sur son océan de mystères : la lettre anonyme, son étrange expérience durant le cours d'informatique, la pierre qui était devenue si brûlante…

Spontanément, elle sortit l'améthyste de sa poche. La semi-précieuse roula dans le creux de sa main pour ensuite s'immobiliser.

— Viviane, dit-elle doucement, est-ce que c'est la pierre qui fait tout ça ? Est-ce là son pouvoir ?

En guise de réponse, un lourd silence l'enveloppa. Une brise se leva. Adeline entendit le bruissement des feuilles dans les érables argentés qui surplombaient l'entrée de sa maison. Sans crier gare, elle eut un pressentiment : quelque chose de grave allait se produire. La semi-précieuse se réchauffa. Adeline l'observa. Elle n'était pas sûre, mais elle crut la voir s'illuminer. Était-ce son imagination qui lui jouait un tour ? Puis la pierre perdit sa luminosité. Adeline remit aussitôt l'améthyste dans sa poche. Elle plongea de nouveau son regard dans le ciel à la recherche de l'étoile Polaire. Mais la Petite Ourse s'était éclipsée. À la place, la lune ronde et blanche brillait d'une froide lumière. Un frisson coula dans le dos de la jeune fille.

— Brrrrr…

Elle ouvrit la porte avec force et entra dans la maison. Elle se hâta vers la salle de bains dans l'intention de prendre une longue douche. Vite, de l'eau. Des gouttes d'eau, sur sa peau… Dans la baignoire, Adeline imagina tous ses soucis partir avec les gouttelettes glissant sur son corps et tombant au sol pour disparaître à jamais dans les tuyaux d'égouts. Elle voulait extraire d'elle-même ce pressentiment horrible qui gisait au creux de son ventre depuis cette terrible vision, cette impression que la mort rôdait…

Adeline sortit dans la vapeur chaude inondant l'air de la salle de bains. Elle s'essuya en vitesse et alla dans sa chambre. Dénudée, elle s'écroula dans son lit, complètement épuisée. Elle plongea dans une nuit noire sans rêves.

5

Un secret

Le lendemain matin, Adeline s'éveilla en sursaut.

— Ah non ! Pas eux !

Elle allongea un bras pour faire taire son réveille-matin qui diffusait une chanson d'un groupe qu'elle détestait. L'appareil indiquait sept heures. Les pensées encore embrouillées et les cheveux en broussaille, elle s'étira langoureusement afin de calmer les battements de son cœur. Puis, mettant fin à ce moment de détente, tous ses soucis rappliquèrent : la lettre enflammée de l'amoureux anonyme, l'attitude bizarre de Jacob, l'expérience étrange pendant le cours d'informatique, le regard intense de son enseignant de français et, pour couronner le tout, le sombre pressentiment sous la lumière de la lune.

— Je n'y comprends rien...

Elle se leva et s'habilla, le corps endolori par l'effort déployé la veille. *Il faut que je pense à autre chose!* se dit-elle. L'image de Daniel égaya soudain son esprit. Elle revit ses jolis yeux qui se posaient parfois sur elle pendant les cours. Un frissonnement lui chatouilla la nuque. Elle attrapa au vol l'améthyste qu'elle avait déposée sur sa table de chevet et la glissa dans sa poche de jean. Un sourire aux lèvres, elle sortit de sa chambre.

Dans le corridor, une idée la frappa. Et si Daniel était l'auteur de cette lettre? *Bien voyons!* se ravisa-t-elle au plus vite, embarrassée. *Ça ne se peut pas. C'est mon prof! Ce serait carrément immoral...* Adeline songea tout de même qu'un enseignant de français devait avoir une belle plume. Comme son correspondant anonyme... Elle haussa les épaules puis se dirigea vers la cuisine. En chemin, la scène de l'homme pendu réapparut dans sa tête. *Quelle affreuse vision!* s'horrifia la jeune femme, qui la chassa aussitôt de la main, comme si cette image n'était qu'une vulgaire mouche.

À la table, Éric, son père, terminait de manger sa rôtie au beurre d'arachide en lisant le journal du matin. Quand il aperçut sa fille entrer dans la pièce, il leva un sourcil. Un sourire en coin se dessina sur ses lèvres. *Qu'est-ce qu'il a à me regarder comme ça ?* se demanda-t-elle. Adeline le savait, quand son père arborait cet air goguenard, chaque fois elle subissait ses railleries. L'adolescente fit mine de ne rien voir et s'assit à sa place habituelle, en face de lui. Un litre de lait et une boîte de muesli les séparaient. Elle les prit pour préparer son déjeuner. Le regard de son père se faisait toujours aussi insistant. *Papa,* suppliait-elle dans sa tête, *pas ce matin, s'il te plaît...*

— Ma chérie, dit-il enfin en lui tendant une enveloppe, ta mère a trouvé ceci sur le tapis de l'entrée. Serait-ce une autre déclaration d'amour ?

Adeline le fixa, puis saisit la lettre. Son père savait qu'elle recevait parfois des lettres d'amour. Elle lui en avait déjà parlé, mais pas dans le détail, car il avait la fâcheuse manie de la taquiner, ce qui lui tombait sur les nerfs. *Voilà donc pourquoi il affichait cet air moqueur,* pensa-t-elle. *La lettre...*

Adeline ouvrit l'enveloppe. Incommodée par les cognements de son cœur, elle jeta un œil sur son paternel. Il dévorait son journal en sirotant son café. *Fiou !* se dit-elle. Elle déplia la feuille et commença à lire :

Adeline !

Je souffre de te voir si près de moi sans pouvoir t'embrasser, te prendre, t'aimer… C'est infernal ! Je t'aime tant…

Adeline, je veux que tu saches qu'au plus profond de mon corps vit un monstre. Et ce monstre grandit jour après jour… J'ai mal de vivre ! Je ne sais plus quoi faire. J'ai peur, terriblement peur ! J'ai besoin de toi, de toi sur moi, en moi, autour de moi, avec moi… Je t'aime tant, Adeline, mais je suis incapable de te le dire de vive voix !

T'écrire m'aide à rester en vie. Savoir que tu lis ces phrases me rapproche de toi. Je t'aime… Je t'aime… Tu ne sais pas à quel point…

Adeline resta là, immobile, le regard perdu dans la lettre, l'esprit quelque part ailleurs.

— Ma chérie, ça va ?

La voix d'Éric la ramena dans la cuisine. Un feu brûlait dans ses veines et jusque dans ses joues. Elle devait être aussi rouge que son prof de français ! Mais pourquoi cette déclaration lui faisait-elle tant d'effet ? Adeline scruta la missive. Elle avait été écrite au traitement de texte, comme la dernière. À l'évidence, elle provenait du même auteur : même police, même papier et, surtout, cette façon troublante de lui déclarer son amour. *Serait-il possible que Daniel ait pu écrire ce message?* Confuse, elle plia la feuille, se sentant un peu idiote d'avoir encore eu ces soupçons. Voulant tout de même en avoir le cœur net avant d'écarter cette éventualité, Adeline se promit de porter plus attention aux réactions de Daniel en sa présence. Peut-être son comportement confirmerait-il ses doutes?

Elle bafouilla à son père:

— P... papa, s'il te p... plaît, verse-moi un verre de jus d'or... range.

Son paternel, l'œil amusé, s'exécuta. Il plongea ensuite son regard dans le sien, et Adeline comprit, par le regard de son père, qu'il savait qu'elle venait de recevoir une autre lettre d'amour. Elle pesta contre la rougeur de ses joues qui l'avait trahie. Adeline but d'un trait. Le liquide la rafraîchit.

Elle termina son déjeuner en silence. Son père rangea les couverts dans le lave-vaisselle, le lait et le jus dans le réfrigérateur et Adeline, elle, plaça le reste dans le garde-manger. Avant de quitter la pièce, l'homme effleura le front de sa fille d'un léger baiser.

— Ad... Adeline, hésita-t-il, je... euh... je...

Il semblait tout à coup très embarrassé. Ses lèvres tremblotaient. Ses yeux affichaient une grande tristesse. Adeline le vit ensuite crisper légèrement le poing.

— Je... je t'aime, ma fille, finit-il par dire. Passe une belle journée.

Puis, en empoignant sa mallette, il sortit. L'adolescente se dirigea vers la fenêtre. Éric se rendit à sa voiture. Avant de s'y engouffrer, il tourna la tête vers la maison. Une brise soudaine le dépeigna. Il tentait de remettre de l'ordre dans ses cheveux quand tout à coup son visage s'illumina. Il avait aperçu sa fille. Il lui esquissa un sourire puis lui envoya un baiser soufflé. Adeline ne lui sourit pas. Elle le salua d'une main incertaine. Éric monta enfin dans le véhicule. L'auto démarra et partit dans la rue, suivie d'une traînée de feuilles mortes. Les érables argentés s'élevant devant leur résidence pliaient sous la bourrasque matinale. Des feuilles jaunies avaient commencé à s'en détacher et tombaient sur le sol, avec agitation.

L'adolescente soupira. *Que c'est bizarre ! Papa était sur le point de me révéler quelque chose, mais il s'est retenu. Pourquoi ?* Depuis toujours, son père avait l'habitude d'exprimer tout ce qu'il pensait ou ressentait. Il ne gardait rien pour lui.

Pourtant, ce jour-là, Adeline eut la nette impression qu'il lui cachait un secret...

6

L'anneau d'argent

Dans la salle de bains, elle scruta l'image que lui renvoyait le miroir : un terrible épouvantail illuminé par de faibles rayons de soleil qui traversaient la fenêtre au-dessus de la baignoire. Adeline passa la brosse dans ses couettes rebelles. Puis, satisfaite de son apparence, elle rangeait ses effets dans son sac quand soudain une vive émotion la poigna au plexus. Sa vision déclinait à nouveau. Elle paniqua. Le souvenir de l'expérience vécue dans son cours d'informatique remontait à la surface. Qu'allait-il lui arriver ? Peu à peu, elle voyait son reflet disparaître derrière une brume grisâtre dans laquelle tournoyaient de petites billes lumineuses et argentées. Adeline s'assit sur le siège de la cuvette et s'agrippa au lavabo pour ne pas tomber. Elle sortit l'améthyste de sa poche. La pierre mauve brûlait légèrement la paume de sa main. Et « POC ! ». Une fois de plus, Adeline jaillit d'elle-même par le sommet de la tête, pour ensuite être propulsée dans la brume grise totalement opaque. Tout à coup, des flashs fluorescents, venus de nulle part, l'éblouirent. Puis sa vue se replaça petit à petit.

Où suis-je ?

Adeline avait l'impression d'être suspendue dans le coin d'une pièce. L'endroit était immaculé, et elle flottait au-dessus, tout en observant en bas.

Des gens s'affairaient. Bizarrement, elle ne distinguait aucun visage. Que des corps qui entraient et sortaient de cette salle. Un jeune homme, très maigre et apparemment très malade, gisait dans un lit au centre de la pièce.

Je n'aime pas ça, ça sent la mort ! Adeline entendait des bips et toutes sortes de bruits qui provenaient des machines reliées au garçon. Des personnes s'agenouillaient près de lui. Une jeune femme serrait avec passion l'une de ses mains. Elle chuchotait à son oreille, alors que d'autres restaient à l'écart.

Un bip continu retentit. Les secondes se figèrent.

J'étouffe. L'air manque. Qu'est-ce qui m'arrive? Adeline vit les gens s'immobiliser. Aucun souffle, aucun mot. Le jeune homme dans le lit ne respirait plus. Le médecin s'approcha du malade. Il soupira. Il débrancha ensuite les fils et regarda chacun des visiteurs.

— Voilà, c'est fini, prononça-t-il avec une faible voix.

Un cri à fendre l'âme s'échappa de la jeune fille. Le son traversa Adeline comme une décharge électrique avant de disparaître dans les couloirs.

C'est fou comme sa détresse me saisit! J'ai tellement mal, moi aussi... Adeline observa, impuissante, cette jeune femme pleurer la mort de celui qui semblait être son amoureux.

Ses cheveux... Une longue tignasse noire comme l'encre! La femme éplorée enlaça le corps du défunt. Quelque chose brillait à son annulaire droit. Adeline ne savait pas pourquoi, mais cette chose l'attirait. Elle regarda plus attentivement, et...

Mais, c'est un anneau d'argent relevé d'un onyx!

Une autre décharge électrique la traversa aussitôt.

C'est impossible! J'ai une bague en tout point semblable à celle-là!

Son père la lui avait offerte pour ses seize ans…

Ce détail révélateur ramena brusquement l'adolescente dans son enveloppe corporelle. Adeline se retrouva, à sa grande surprise, étendue par terre dans la salle de bains. *Quelle heure est-il ?* se demanda-t-elle. *Combien de temps suis-je restée couchée sur le plancher ?* Tout engourdie, la jeune femme se redressa avec une douleur au front. Elle avait dû se cogner la tête en tombant. Elle consulta sa montre. Il s'était écoulé à peine cinq minutes.

Un éclat lumineux attira soudain son attention au sol. Elle vit la pierre mauve, immobile, près de la porte. Un halo semblait l'entourer. Curieuse, Adeline se pencha pour la ramasser. La pierre, extrêmement chaude, roula au creux de sa main. Puis, la semi-précieuse perdit sa lumière, comme si le pouvoir qu'elle portait venait de s'en aller, lui aussi. Troublée, la jeune femme la glissa d'un geste rapide dans sa poche.

— Je suis en train de devenir folle, c'est ça ! Comme tante Vivi…

Elle se releva, et cala trois grands verres d'eau en se concentrant sur la fraîcheur du liquide dans sa gorge.

Ensuite, Adeline se dirigea vers la cuisine. Elle attrapa son sac, son coupe-vent, et sortit de la maison. Elle verrouilla la porte puis enfourcha sa bicyclette. En peu de temps, l'adolescente arriva à l'école. Elle rangea son vélo et se déplaça comme un automate vers son local, avec la brûlante certitude que la fille de sa vision n'était nulle autre qu'elle-même !

7

La sorcière

Sur l'heure du dîner, Adeline traversa à la hâte un long couloir près des gymnases pour se rendre au bureau de l'infirmière, Juliette Lacroix dite «la sorcière». Elle avait réfléchi toute la matinée, et Juliette semblait être la seule personne à qui elle pouvait parler de ses problèmes.

L'adolescente se rappelait combien elle avait trouvé l'infirmière sympathique, l'année dernière, lors de la semaine intitulée «Santé Mentale Avant Tout». Cette semaine-là, «la semaine des SMAT», comme disait Juliette aux élèves, l'infirmière avait monté un stand d'information qu'elle ouvrait aux heures de pause. Chaque jour avait son thème. Durant la journée sur l'estime de soi, une bande d'adolescentes s'était attroupée autour de l'infirmière à l'heure du dîner. Juliette leur distribuait des dépliants dans la bonne humeur. Adeline, qui passait par là, avait été accrochée par son enthousiasme. Curieuse, elle s'était approchée.

— Moi, je suis convaincue, disait Juliette aux jeunes filles, que lorsque nous chérissons vraiment un rêve, et que nous nous prenons en main pour le réaliser, une force invisible se met à l'œuvre pour nous aider. Et je suis persuadée que l'estime de soi se construit entre autres par l'accomplissement de nos rêves…

Ensuite, Juliette s'était mise à rire. Avec une grande douceur, elle avait continué à parler de l'estime de soi. Elle avait répondu à toutes les questions des petites de première secondaire avec une attitude chaleureuse et bienveillante. Lorsque les jeunes filles s'étaient éloignées, Adeline était restée pour discuter avec elle d'un problème qu'elle vivait. L'infirmière l'avait écoutée attentivement et l'avait conseillée. Dans les jours suivants, Adeline avait suivi ses conseils et réussi à résoudre son problème.

C'est pourquoi Adeline désirait se confier à Juliette. Elle était persuadée qu'elle pouvait encore l'aider.

Il fallait absolument qu'elle comprenne ce qui lui arrivait. Par deux fois, elle avait été victime d'étranges expériences qui ne s'étaient jamais produites avant dans sa vie. En songeant à ces visions, une pression se logea dans la poitrine de l'adolescente. Elle était vraiment perturbée par ces scènes...

Et chaque fois, son améthyste avait réagi.

La pierre dormant au creux de sa poche de jean, Adeline cogna à la porte du bureau de l'infirmière.

— Un instant, s'il vous plaît ! répondit-on de l'autre côté.

Des murmures glissaient sur le seuil et chatouillaient les oreilles d'Adeline. L'infirmière n'était pas seule. Trois minutes plus tard, Jacob sortit de son local. Il devint blanc comme un cadavre quand il aperçut son amie. Puis, reprenant des couleurs, il lui adressa l'un de ses sourires moqueurs.

— Salut, Adeline ! Ça va ? Tu n'es pas malade, j'espère ?

— Non, non ! J'ai juste besoin de discuter avec Juliette. Mais, ajouta-t-elle en déposant une main sur son épaule, est-ce que ça va, toi ? Je ne t'ai pas vu, ce matin...

Sous ses doigts, Jacob tressaillit comme s'il était en proie à une vive émotion qu'il tentait désespérément de contenir. Affichant pourtant un air joyeux, il lui fit un clin d'œil amusé.

— Ne t'inquiète pas, je vais bien. J'avais juste envie de causer, moi aussi.

Il se détourna d'elle et fila en direction de la cafétéria. Troublée, Adeline l'observa. Avait-il maigri ? Son pantalon semblait plus ample qu'avant. *Non,* se rassura-t-elle, *il n'aurait pas pu maigrir comme ça en deux jours !* Elle le savait, Jacob était assez marginal. À son avis, il devait porter ce pantalon extra large juste pour être différent des autres et faire réagir le monde. En le voyant s'éloigner, elle ressentit tout de même un curieux malaise. Elle soupira.

— Il est mignon, non ? lança une voix très aiguë derrière elle.

Adeline sursauta. Elle n'avait pas entendu Juliette s'approcher d'elle. L'infirmière la dévisageait.

— Ah ! Euh... Salut, Juliette ! bafouilla l'adolescente, embarrassée. Est-ce que je peux prendre quelques minutes de votre temps ?

— Oui, oui. Bien sûr ! répondit l'infirmière avec un sourire en coin. Entre donc.

Oubliant le trouble qu'elle avait éprouvé à cause de Jacob, Adeline s'installa sur une chaise. Juliette referma la porte et se cala dans son fauteuil beige archi usé. Une odeur d'encens oriental mêlée à celle du café noir flottait dans la pièce. Cela rappelait à Adeline les séances de café-yoga que sa mère faisait avec la mère de Jacob.

Juliette s'intéressait-elle au yoga ? Adeline ne s'en serait pas surprise. En fait, Juliette était une infirmière peu ordinaire. Elle était jeune, arborait un style très original avec ses vêtements colorés achetés lors de ses voyages en Afrique, en Inde ou au Mexique, et ses cheveux dont elle changeait souvent la teinte. Certains avaient répandu la rumeur qu'elle serait une sorcière. Il y avait de cela deux ou trois ans, des élèves seraient passés devant chez elle en vélo, tard un soir. Et, à ce qu'on racontait, ils l'auraient vue danser autour d'un feu, vêtue de peaux animales et prononçant des incantations dans une autre langue.

Se tenant devant Adeline, ladite « sorcière » portait aujourd'hui une longue robe bourgogne tachetée de pois jaunes sur les manches. Plusieurs mèches rebelles d'un noir soutenu frisaient çà et là sur sa tête auburn. Son regard vert limette paraissait illuminer, offrant un contraste saisissant avec le rouge. L'originalité de cette femme fascinait Adeline. Juliette planta ses yeux dans ceux de l'adolescente.

— Allez ! Raconte ! Je suis prête à t'écouter, dit-elle avec sa voix de soprano.

Adeline lui parla des lettres et de leur effet sur elle, de sa première sortie hors du corps l'ayant projetée vers ce qui lui a semblé être l'époque de la Nouvelle-France, puis de l'autre, dans laquelle elle avait plané au plafond d'une chambre d'hôpital. En revanche, elle garda pour elle ses suppositions quant à Daniel et ses folles rêveries. Ces détails lui appartenaient. Son histoire terminée, elle lui demanda :

— Qu'est-ce que ça peut signifier ? Moi, je n'y comprends rien. Dans les deux cas, il est question de mort !

— Mais c'est incroyable ! s'exclama Juliette. Est-ce que je peux voir ta pierre ?

Ahurie par l'attitude de Juliette, l'adolescente plongea une main dans sa poche de pantalon, en sortit l'améthyste et la lui prêta. Pendant plusieurs secondes, Juliette tint la semi-précieuse, main fermée, paupières clauses. Immobile, elle semblait méditer.

– Hummm...

Puis elle rouvrit les yeux d'un coup, la paume de sa main aussi. D'un geste rapide, elle remit l'améthyste à Adeline.

— Adeline, qui t'a offert cette pierre ?

La chaleur de la semi-précieuse se répandit dans la paume de la jeune femme. Adeline manipula la pierre comme elle le faisait toujours lorsqu'elle était troublée ou nerveuse.

— Ma tante Viviane me l'a donnée en me confiant que cette pierre avait un étrange pouvoir, que je ne devais jamais m'en séparer.

Croyez-vous que son pouvoir est lié à ce que je vis depuis quelques jours?

— Je ne sais pas, mais une force l'habite, c'est évident! Je l'ai ressentie. Une force vieille de plusieurs siècles, peut-être même plus. Cette améthyste n'est pas ordinaire, Adeline. J'ai beaucoup travaillé avec les pierres précieuses – les gemmes – pour guérir certains de mes patients, et je peux te dire que c'est la première fois que je touche à une pierre ayant une aussi grande vibration.

L'infirmière sursauta, le visage illuminé, les yeux écarquillés.

— Attends-moi deux secondes, lui dit-elle.

Juliette se leva pour aller fouiller dans sa bibliothèque. Elle revint, quelques minutes plus tard, un bouquin poussiéreux dans les mains. Elle tendit à Adeline le livre qui semblait sortir d'une époque ancienne. Un cuir usé le recouvrait. Renfoncée dans son siège et intriguée par le regard de Juliette, l'adolescente prit le grimoire et le feuilleta au hasard avec nervosité. Ses pages jaunies par le temps dégageaient une odeur indescriptible. Elle le referma puis, du bout des doigts, elle toucha les lettres dorées, maintenant presque illisibles de la page couverture. Adeline frissonna.

— On dirait une antiquité!

— C'est vrai ! Sa parution ne date pas d'hier, répondit Juliette en se rassoyant dans son fauteuil. Ce livre est une traduction française d'un vieux manuscrit mexicain. Je l'ai reçu en cadeau d'une chamane, lors de mon dernier voyage au Mexique.

L'infirmière s'étira pour reprendre le livre. Tout en le parcourant, elle ajouta :

— Ma chère, ce livre relate l'existence d'un peuple très ancien, les Naacals, qui aurait vécu sur notre continent bien avant l'époque des Aztèques et des Mayas. Bien sûr, c'est une légende ! Mais cette légende contient un élément intéressant pour toi. Elle raconte que les Naacals vénéraient certaines pierres. Et grâce aux pouvoirs de ces minéraux, des membres de cette tribu auraient traversé des frontières temporelles. Un peu comme ce que tu as vécu..., avança-t-elle en redonnant l'ouvrage à l'adolescente.

Confuse, Adeline examina avec attention le vieux livre. L'infirmière poursuivit :

— En m'offrant ce grimoire, la chamane m'a raconté que ces anciennes pierres existeraient encore, éparpillées aux quatre coins de la planète. Je ne l'ai pas vraiment crue, à ce moment-là. Mais ton améthyste et ton histoire insolite me laissent penser qu'elle avait peut-être raison. Adeline, l'améthyste que tu possèdes pourrait s'avérer l'une de ces pierres ! Son pouvoir est ancien et puissant, je l'ai senti.

L'adolescente laissa tomber la pierre sur la couverture du bouquin et l'observa, pensive. Si Adeline avait bien compris, cette améthyste aurait provoqué ses visions morbides et lui aurait permis de vivre des traversées dans le temps. Mais pourquoi donc cela lui arrivait-il ? Elle questionna Juliette.

— Selon moi, ce n'est pas un hasard que cette pierre réagisse en ce moment, lui répondit l'infirmière. Tes voyages extracorporels doivent certainement avoir un lien avec une situation que tu vis. Le fait que tu reçoives des lettres anonymes ? Je ne sais pas... Mais une chose est sûre : le pouvoir de la pierre est avec toi. Peut-être veut-il t'avertir ? Te faire découvrir un aspect caché de ta personnalité ? Ou te montrer simplement qu'il existe ? C'est à toi de voir. Lis attentivement ce texte. Tu y trouveras peut-être la clé de ce mystère.

Adeline maniait sa pierre avec rapidité, le regard perdu, la bouche sèche.

— Es-tu prête à connaître TA vérité ? lui demanda Juliette.

— Euh..., je ne sais plus, souffla-t-elle faiblement.

— Je te comprends, ajouta l'infirmière, à voix base. L'inconnu, c'est un peu terrifiant.

Adeline glissa l'améthyste dans sa poche et le vieux grimoire sous son bras. L'infirmière la raccompagna jusqu'à la porte.

— Merci, Juliette...

D'un pas hésitant, l'adolescente s'éloigna dans le corridor sous le regard pénétrant de la jeune « sorcière ».

8

Les Naacals

Le soir même, Adeline s'enferma dans sa chambre. Son réveille-matin affichait vingt et une heures quarante-cinq minutes. Elle déplaça sa chaise vers la fenêtre, installa sa lampe de bureau sur le profond cadre de bois, puis l'alluma. Une lueur jaune nimba l'ouverture encadrée de rideau de dentelle blanche et le curieux petit chemin de fer, sans rails, incrusté dans le bois. Le reste de la chambre baignait dans l'obscurité de la nuit. Devant elle, Adeline déposa avec précaution le vieux grimoire et l'ouvrit. Elle rangea l'améthyste à deux centimètres de la fenêtre, sous le regard des étoiles qui scintillaient haut dans le ciel. Adeline fixa la pierre un instant. Un léger malaise s'installa dans son ventre. Qu'allait-elle découvrir dans ce livre ? Sa vérité, comme l'avait soulevé Juliette ? Incertaine, elle prit une longue inspiration, retrouva son calme. Puis elle s'attaqua aux pages jaunies du livre.

Je me nomme Rodriguo Raíz. J'ai quatre-vingt-neuf ans. Nous sommes en l'an mil cinq cent vingt-cinq. De grands bouleversements affectent notre peuple. Cuauhtémoc, notre chef, peut-être le dernier chef aztèque de l'histoire, a été fait prisonnier par les Espagnols après que ces derniers aient détruit notre si belle cité. Notre vie est en danger. Quelques membres de ma famille et moi sommes présentement cachés dans une grotte souterraine aménagée par nos ancêtres. Sous la faible lumière de ma chandelle, je m'apprête à écrire l'histoire du peuple ancien : les Naacals. Depuis des centaines d'années, ma famille transmet l'enseignement de ce peuple par la parole. C'est une histoire vieille de plus de mille ans. Une légende... Je vous la retransmets, à mon tour, comme on me l'a racontée, mais par écrit. Je désire que cette légende survive après ma mort et qu'elle soit lue par le plus de gens possible.

Il y a très, très longtemps, environ trente mille ans avant notre ère, un peuple, maintenant disparu, vivait sur nos terres. Ces femmes et ces hommes étaient très grands et avaient la peau blanche. Un regard foncé et intelligent brillait sous leur frange noire. Vêtus de blanc, ils étaient arrivés sur de gigantesques bateaux dorés, par l'océan Pacifique. Certains affirment qu'ils étaient des habitants d'un pays lointain du soleil couchant, venus coloniser nos régions. Cette race d'hommes et de femmes était très avancée techniquement et spirituellement. Les Naacals ont construit une ville florissante le long de la frontière délimitant le territoire de notre pays de celui plus au sud. Ils ont vécu sur nos terres jusqu'à l'avènement d'un terrible cataclysme. En quelques jours, oh oui! aussi invraisemblable que cela puisse paraître, de monstrueuses montagnes se sont érigées partout dans le pays et d'imposants volcans se sont aussi élevés en crachant du feu sur la ville. Cette race ayant vécu plus de vingt mille ans sur cette terre disparut à jamais sous les décombres et la lave meurtrière.

— Quelle tragédie, se désola Adeline en levant les yeux.

Elle tourna une autre page, décidée à en savoir plus sur ce peuple anéanti.

Avant qu'ils ne soient décimés, les Naacals avaient coutume de vénérer les pierres. Dans différents cristaux de la terre, ils avaient découvert une énergie vibratoire qui leur faisait vivre des expériences peu communes. En effet, les sages de cette nation, qui comprenaient des hommes et des femmes de tous âges, se regroupaient sur la plage lors des nuits de pleine lune. C'était là un rituel qui leur permettait de connaître leur avenir ou leurs existences antérieures afin de mieux traverser leur vie présente. Une pierre dans la main droite, ces érudits spirituels, vêtus en habits de lin blanc, s'assoyaient face à la mer, en direction de leur mère patrie : Mu, ce continent lointain du soleil couchant. Pendant de longues minutes, ils chantaient un son très doux, un mantra, qui calmait leurs émotions et clarifiait leurs pensées. Ce chant les mettait en contact avec le Zitgae, la force invisible. Après quelques instants, les pierres, toujours dans leur main droite, se réchauffaient et s'illuminaient pour former un immense rayon qui se joignait à la clarté de la lune. Grâce à la chaleur et à la vibration de ces minéraux, l'Amya, la partie informe et lumineuse de leur être, pouvait alors sortir de leur enveloppe corporelle et se projeter dans l'avenir ou dans le passé. Les Naacals voyageaient ainsi dans le temps afin de découvrir un détail technologique encore inconnu qui aiderait la nation à progresser, ou encore un événement survenu dans une vie passée qui leur permettrait de comprendre une situation conflictuelle présente. Chaque voyage était entrepris dans un but constructif et pour le bien de tous.

Adeline arrêta sa lecture et fixa son améthyste. *Elle aussi devient chaude,* songea-t-elle, *comme les pierres des Naacals.* La jeune femme prit conscience que sa semi-précieuse pouvait être l'une de ces pierres. En fronçant les sourcils, elle tourna une autre page.

Ces êtres, d'une nature pacifique, croyaient à l'existence du Zitgae, une force invisible qui sustenterait toutes formes de vie sur terre. Cette force serait la matière première de ce qui animerait l'Amya, c'est-à-dire l'aspect spirituel de l'homme, son âme. Les Naacals croyaient à la réincarnation. Selon eux, la terre serait un lieu d'apprentissage où l'Amya s'incarnerait dans différents corps, vie après vie, dans l'unique but d'ouvrir sa conscience et de découvrir sa véritable nature. Ce peuple observait aussi une loi appelée Karmya : une loi invisible et immuable qui, selon les sages de l'époque, régissait les êtres humains à leur insu. Cette loi stipulait que l'homme devait apprendre, souvent au cours d'épreuves rencontrées dans sa vie, à devenir responsable de ses paroles, de ses gestes et de ses pensées. Ainsi, au fil des incarnations, l'Amya prendrait conscience qu'elle est la créatrice, mais aussi la seule responsable de tout ce qui lui arrive dans la vie.

Adeline referma le grimoire d'un coup sec.

— Quel charabia ! Je n'y comprends rien !

Elle ferma les yeux afin de calmer le malaise qui s'éveillait en elle. *Juliette m'a prêté un bouquin qui parle de la réincarnation ! Pourquoi ?* Déconcertée, Adeline rouvrit le grimoire avec plus de douceur, cette fois. Elle relut attentivement le dernier passage. *L'*Amya *ou l'âme*? s'interrogea-t-elle ensuite. *Qu'est-ce que c'est que ça ?* Bien sûr, elle avait vaguement entendu parler de l'âme dans ses cours d'enseignement religieux, mais pas du tout de cette façon.

Accoudée sur le cadre de la fenêtre, la tête entre les mains, elle réfléchissait. *Dans ce livre, l'auteur affirme que les pierres des Naacals permettaient à l'âme de sortir de son enveloppe corporelle pour voyager dans le temps.* Était-ce vraiment cela qu'elle expérimentait dernièrement ? Elle ne savait pas quoi penser. Toutes ces étrangetés qu'elle venait de lire la rendaient perplexe.

Elle tourna une autre page, au hasard.

Les Naacals étaient de grands voyageurs. En voguant sur les mers, ils auraient rejoint et colonisé d'autres continents au fil des siècles. C'est ainsi que leurs pierres magiques se seraient répandues sur toute la planète. Aussi invraisemblable que cela puisse paraître, il en existerait encore aujourd'hui, en ce seizième siècle. Ceux qui entrent en contact avec elles sont assurément des êtres privilégiés qui vivront de grandes aventures…

Adeline fut incapable de lire la suite. Les mots qu'elle venait de parcourir avaient créé un mouvement à l'intérieur d'elle, comme une vague se déferlant sur les rivages de sa conscience. Mais que lui arrivait-il ? Elle regarda sa pierre, qui s'illuminait. Une lueur mauve rayonnait autour d'elle. Adeline tendit le bras pour la prendre. Et comme elle s'y attendait, l'améthyste était chaude entre ses doigts.

Soudain, un flot de sentiments indistincts monta en elle et une boule se logea dans sa gorge. Des larmes se formèrent au coin de ses yeux. Un énorme chagrin l'envahit, semblable à cette mélancolie qui s'abattait sur elle chaque fois qu'elle recevait une déclaration d'amour, mais en plus intense, plus douloureux, plus enraciné. Pourquoi était-elle si triste, tout à coup ?

Elle mania rapidement la pierre pour s'apaiser. Peu à peu, des images du passé remontèrent à la surface de sa mémoire. L'une d'elles se précisa dans sa tête.

Adeline se rappela alors avoir éprouvé cette même tristesse durant son enfance, à l'âge de huit ans. Elle avait pleuré abondamment dans les bras de sa mère parce que sa chatte Grisouille s'était fait frapper par une voiture dans la rue. Le jour même, ils l'avaient enterrée dans le boisé près de la maison. Adeline en avait eu le cœur brisé pendant longtemps.

Ce soir-là, assise devant ce livre vieux comme le monde, avec l'améthyste dans la main, elle ressentait exactement la même peine. Pourquoi ? Elle l'ignorait. Découragée, elle s'adossa contre sa chaise en fermant les yeux quelques instants. Puis, la jeune femme eut le pressentiment qu'elle allait faire face à la mort. Une mort qui la déchirerait profondément, comme lorsqu'elle avait perdu sa chatte Grisouille.

Était-ce pour l'avertir que la pierre réagissait ainsi ? Quelqu'un dans son entourage allait-il mourir ?

Tourmentée par cette hypothèse, Adeline ferma le livre et alla se coucher. Elle s'endormit, les yeux encore humides.

9

Que d'émotions !

17 octobre.

Depuis déjà plusieurs minutes, un rayon de soleil matinal se glissait dans la chambre d'Adeline, faisant reluire le noir charbon de sa crinière échevelée. Enroulée dans ses draps jusqu'au cou, l'adolescente dormait encore. Ses yeux s'agitaient sous ses paupières, et sa bouche se crispait, formant une grimace convulsive. Adeline rêvait. Elle se retourna en gémissant des sons incompréhensibles. Puis soudain, comme si elle venait de recevoir un choc d'une très grande intensité, elle se redressa d'un bond et rejeta brusquement les couvertures au pied de son lit. La jeune femme avait le regard effaré, et le souvenir de son rêve était encore imprégné sur sa peau frissonnante. Aussitôt, elle fouilla dans le tiroir de sa table de chevet. Elle en retira un cahier en spirale jaune. Elle prit son crayon bleu et se mit à écrire son rêve dans le livre ouvert sur ses cuisses :

Un homme court vers un pont.
Je le poursuis. Je veux le rattraper et l'empêcher de faire une énorme bêtise, mais il file plus vite que moi. Il s'élance sur cette menaçante construction de fer dont la partie la plus haute s'efface sous un épais brouillard. Je le vois pénétrer dans cette brume opaque et y disparaître.
J'ai peur. J'accélère comme une sprinteuse à la fin d'une course serrée. Je veux le toucher, l'arrêter, le retenir... Mais j'ai beau courir aussi vite que la meilleure des athlètes, je n'arrive pas à le rejoindre. Devant moi, le pont s'allonge à chacun de mes pas, il s'étire jusqu'à l'infini.

Une voix chaude transperce l'opacité des brumes: « Je t'aime, Adeline. Je t'aimerai toujours. » S'ensuit un silence aussi dense que le brouillard, qui se rompt, quelques secondes plus tard, par un « SPLASH! » terrible...

Puis, plus rien. Je n'entends que les battements de mon cœur tambouriner dans ma tête et mes pensées se bousculer dans tous les sens, comme des enfants paniqués. Une profonde douleur s'enracine dans mon corps. Je hurle: « Non, ce n'est pas possible... Il s'est enlevé la vie! »

Et je m'effondre sur le ciment mouillé.

Adeline soupira longuement en déposant son crayon. Elle rangea ensuite son carnet dans le tiroir encore ouvert puis jeta un œil sur son réveille-matin. Il indiquait six heures quarante-cinq minutes. Elle aperçut son améthyste qui répandait une lumière mauve sur la table de chevet. D'un geste automate, elle la saisit. Une chaleur pénétra sa main.

L'adolescente mania ensuite la semi-précieuse avec adresse. Songeuse, elle ramena ses couvertures sur ses genoux. Cet homme lui avait crié son amour juste avant de se suicider. Adeline ressentit un malaise au creux de son ventre. Elle avait le sentiment que ce cauchemar avait un lien avec ses mystérieuses visions. Ses mains se mirent soudain à trembler. La jeune femme tira sa courtepointe jusqu'à la hauteur de ses hanches. La certitude que ces images oniriques annonçaient une mort imminente s'éleva en elle tel un édifice froid, réel et incontournable. C'était cette même mort qu'elle avait pressentie la veille après la lecture du vieux grimoire. Adeline prenait conscience qu'une personne dans son entourage voulait peut-être s'enlever la vie… en se jetant en bas d'un pont.

— Non…

Ébranlée, la jeune femme se leva subitement de son lit. Elle n'avait qu'une envie : prendre une douche. Elle désirait retrouver la chaleur de l'eau sur son corps, recouvrer le calme procuré par cette pluie artificielle…

Elle sortit vite de sa chambre. Sans faire de bruit, elle marcha dans le corridor. Elle entendit de drôles de sons provenant de la chambre à coucher de ses parents. Piquée par la curiosité, elle s'arrêta devant leur porte close, et tendit l'oreille. Des « Ahhh…

Uhmmm... Hannnn...» et des fous rires s'échappaient de la pièce... Elle soupira et continua son chemin.

Une heure plus tard, dans la cuisine, les parents d'Adeline lui annoncèrent une grande nouvelle. Cela faisait plus de vingt ans qu'ils vivaient ensemble, et voilà qu'ils avaient décidé de se marier. Éric enlaçait Ève avec un sourire béat qui en disait long sur leurs précédents ébats. Tendrement, il l'embrassa dans les cheveux, puis demanda à Adeline :

— Tu ne trouves pas que nous ferions un beau couple de mariés ?

— Vous êtes déjà un beau couple, papa ! Pourquoi vous marier ? Qu'est-ce que ça apportera de plus dans votre vie ?

Ève s'éclipsa en douceur de l'étreinte de son homme, puis vint s'asseoir près d'Adeline. Elle rayonnait dans son peignoir de satin bleu. Ses cheveux roux pêle-mêle recouvraient ses épaules, ses yeux vert émeraude brillaient. Elle prit la main de sa fille et plongea son regard dans le sien.

— Ma chérie, j'attends un enfant. Tu vas avoir une petite sœur ou un petit frère. Regarde...

Elle montra à sa fille un bidule en plastique mince et long, avec une croix rose au centre d'un petit trou.

— C'est un test de grossesse. Je l'ai passé hier matin et le résultat est positif. Je suis réellement enceinte !

Son regard toujours rivé à celui d'Adeline, elle continua :

— Ce n'était pas prévu, mais le destin en a décidé ainsi. Nous sommes très heureux. Et pour souligner notre bonheur, nous aimerions nous marier.

Adeline resta sans voix, complètement abasourdie par ce scoop du siècle. Jamais elle n'aurait cru que ses parents... à leur âge ! N'étaient-ils pas trop vieux ? Toutes sortes d'émotions contradictoires déferlaient en elle : de la joie à la crainte, de la surprise à l'incrédulité... Était-elle contente, oui ou non ? Adeline était incapable de le préciser. Puis peu à peu, des sentiments plus doux surgirent. Une tendresse et une bienveillance qu'elle n'avait jamais ressenties auparavant balayèrent d'un coup toute son agitation intérieure. L'adolescente envisagea alors toute l'allégresse que lui apporterait le rôle de grande sœur.

— C'est génial, maman ! lui dit-elle enfin en la prenant dans ses bras. Toi et papa, vous êtes tellement fous l'un de l'autre. Et je vais avoir un frérot ou une sœurette ! Wow !

Heureux et soulagés de sa réaction, les parents d'Adeline l'embrassèrent tour à tour.

Ève, comme à son habitude, marcha vers la salle de bains à toute vitesse. Son futur mari se versa un café et descendit au sous-sol préparer ses papiers pour le bureau. Et l'adolescente resta seule dans la cuisine.

Elle termina son petit déjeuner, songeuse. Après cette vague de joie, ses soucis revinrent au galop. Allait-elle recevoir une autre lettre ou vivre une autre expérience insolite ? La peur s'installa en elle. Elle avala de travers la dernière bouchée de sa rôtie et but son lait d'un trait. Elle se leva pour déposer sa vaisselle dans le lavabo avant de se diriger à son tour vers la salle de bains... avec un frémissement dans le dos.

Finalement, à son grand soulagement, rien ne se produisit. Adeline ne recueillit aucune missive amoureuse ce matin-là, pas plus qu'elle n'eut d'autres visions.

À l'heure du dîner, près des casiers, elle annonça la nouvelle à Jacob et Marco. Son mécanicien préféré lui dit de sa grosse voix :

— Veux-tu que je lui construise une voiture d'enfant ? Je comptais le faire pour mon jeune cousin, mais mon oncle et ma tante n'étaient pas d'accord. J'ai toutes les pièces dans mon garage.

— Marco ! Il faudrait d'abord en parler à mes parents. Le bébé n'est même pas encore né !

Quant à la réaction de Jacob… Un large sourire aux lèvres, le regard coquin, il demanda à Adeline :

— As-tu déjà fait l'amour, toi ?

La jeune femme rougit, en glissant une main nerveuse dans ses cheveux.

— Écoute, tu n'es pas obligée de me répondre, Adeline, lui dit-il, voyant son air embarrassé. Je te pose la question juste comme ça, par curiosité. Entre amis…

Les yeux brillants de Jacob étaient plus creux que d'habitude. Le gris de ses iris s'était effacé sous le vert qui prédominait. Des cernes bleus soulignaient son regard et surplombaient ses joues anormalement amaigries.

— Pas encore ! lui avoua-t-elle enfin, soutenant ses yeux gouailleurs. Et toi ?

— Bah…, dit-il en relevant son pantalon trop large. En ce moment, je n'ai pas tellement la cote auprès des filles. Marco me les prend toutes… Alors je joue aux échecs avec ma mère.

Adeline se tourna vers Marco qui haussait les épaules en lui envoyant un clin d'œil amusé.

— Que veux-tu ? Ce sont elles qui se pressent à mes pieds.

— Ouais, ouais. C'est ça…, répliqua Jacob qui retenait un fou rire. Tu ne penses même pas à ton meilleur ami. Sale égoïste…

Adeline, interloquée, se planta entre les deux, les mains sur les hanches.

— Mais à quoi vous jouez avec vos allusions? leur demanda-t-elle. Vous êtes bizarres! Toi, Jacob, je dirais que tu l'es depuis quelques jours.

Elle plongea ses yeux plus profondément dans les siens.

— Est-ce que ça va? Tu n'as pas l'air en forme. On dirait même que tu as maigri!

— Ne te fais pas de bile pour moi, Adeline. Tout baigne dans l'huile! Aucun grincement. Une journée sensas. Tu vas avoir une petite sœur ou un petit frère. C'est une superbe nouvelle, non? La naissance d'une vie, c'est mieux que la mort d'une autre! déclara-t-il en riant et en donnant une légère tape dans le dos à Adeline.

Le souffle coupé, Adeline agrippa les deux bras de Jacob et le dévisagea.

— Qu'est-ce que tu viens de dire? Pourquoi parles-tu de mort?

Il l'observa, éberlué.

— Voyons, Adeline! Qu'est-ce qui te prend? Tout le monde sait que la naissance d'un enfant, c'est quand même plus beau qu'un décès! C'est quoi le problème?

Il avait raison. Adeline avait paniqué pour rien. Elle s'excusa et relâcha sa poigne. Toute cette affaire-là était en train de la chambouler : la mort l'obsédait de plus en plus...

Adeline et Marco regardèrent Jacob s'éloigner dans le corridor. Ce dernier se dandinait comme un canard. Sans aucun doute, il voulait les faire rire. Mais Adeline ne riait pas. Elle s'approcha de Marco et lui confia :

— Quelque chose ne tourne pas rond chez Jacob. Il n'est pas lui-même, as-tu remarqué ?

— Euh... Adeline, je..., bredouilla Marco en scrutant sa montre, je dois partir. J'ai de la récupération ce midi, en maths. Ce n'est pas que ça me tente, mais il faut que j'y aille. Bye !

Et il détala en direction de l'aile ouest. Adeline fronça les sourcils. Mais qu'avaient-ils donc, ces deux-là ? Elle se dirigea vers sa case, puis consulta son horaire. L'adolescente commençait l'après-midi avec un cours de français.

Au moins, je vais voir mon joli Daniel, se réjouit Adeline. En songeant aux lettres anonymes, la jeune femme se rappela qu'il fallait qu'elle prête attention à l'attitude de son professeur, aujourd'hui. S'il la regardait plus que d'habitude, ou semblait gêné en sa présence, cela pourrait justifier ses doutes à son sujet...

Quarante-cinq minutes plus tard, le timbre de la cloche retentit dans l'école. Adeline, qui s'était rendue à la bibliothèque pour terminer son devoir de français, prit ses livres et partit avec des papillons dans l'estomac.

En entrant dans la classe, ses papillons s'envolèrent. Un remplaçant, beaucoup moins beau et beaucoup plus âgé que Daniel, attendait les élèves. Dépitée, Adeline s'installa à son bureau et le cours débuta.

— Bonjour ! Mon nom est Jasmin Tontymy. Je serai votre professeur de français pendant plusieurs semaines. Monsieur Masson sera absent pour des raisons de santé. Il a été hospitalisé.

— Qu'est-ce qu'il a ? demanda Sophie, assise complètement en arrière.

— On ne m'a pas précisé la nature de son trouble physique. Je suis désolé de ne pouvoir vous répondre, mademoiselle.

Quelques élèves s'esclaffèrent. Cet homme avait une façon inhabituelle de s'exprimer. Ses paroles tombaient dans les oreilles d'Adeline en lui chatouillant désagréablement la cervelle. Il parlait avec un accent d'ailleurs, en vouvoyant.

— Pauvre Sophie, lança un garçon de la classe, tu ne pourras plus admirer l'anatomie de ton beau Daniel !

Toute la classe éclata de rire. Incertains, les élèves attendaient la réaction du nouveau prof. Allait-il les réprimander, les assommer de grammaire ou de dictées archi compliquées? Monsieur Tontymy, raide dans son trois-pièces, claqua du talon et de la langue en se grattant le menton avec le regard de celui qui en avait vu d'autres. Il déclara:

— Que diriez-vous, chers élèves, de faire une dissertation sur les stéréotypes masculins véhiculés au vingt et unième siècle?

Un silence s'établit dans le groupe. Intrigués, les jeunes fixaient monsieur Tontymy. Voyant qu'il avait capté leur intérêt, l'enseignant leur expliqua les détails de ce projet d'écriture.

Adeline trouvait le travail intéressant, tout compte fait, même si elle était atrocement inquiète du sort de Daniel. *J'espère que son état n'est pas trop grave,* se dit-elle en sortant son pousse-mine de son étui.

L'adolescente souhaitait de tout cœur que cette absence soit de courte durée.

10

Geunam

Pendant la semaine qui suivit, ce fut le calme plat : aucune lettre ni expérience extracorporelle. Adeline avait terminé de lire le bouquin au titre effacé, avec beaucoup de scepticisme. D'incroyables témoignages de gens, vivant à diverses époques et ayant usé du pouvoir des pierres, révélaient que certains d'entre eux seraient entrés en contact avec l'une de leurs vies passées pour tenter de résoudre un problème qu'ils éprouvaient, dans le présent, avec des amis, des confrères de travail ou des membres de leur famille. D'autres auraient réussi à comprendre l'origine de leur peur, comme la phobie des araignées, des hauteurs, de certains bruits ou de l'eau.

Selon Adeline, il était peu plausible que cette théorie soit vraie. N'était-il pas écrit dès les premières pages du grimoire que cette histoire était une légende ? Fallait-il absolument avaler tout ce qui était écrit dans ce livre ? Surtout quand l'auteur avançait que les Naacals croyaient à la réincarnation de l'âme ? Et que la terre serait un lieu d'apprentissage pour l'âme afin qu'elle devienne de plus en plus responsable, d'une vie à l'autre ? Juste à y penser, la jeune femme se sentait envahie par une angoisse dont elle ignorait la cause. Elle était convaincue de ne pas adhérer à cette conception de la vie si différente de tout ce que lui avaient appris ses parents et ses enseignants sur l'existence humaine. Pour l'instant, elle repoussait cette idéologie de tout son être.

Pourtant, Adeline croyait qu'elle n'était pas juste un corps physique. Les deux expériences qu'elle avait vécues hors d'elle-même l'avaient menée à cette conclusion. Cependant, elle avait du mal à imaginer qu'à sa mort, son âme allait la quitter afin de s'envoler vers un monde de lumière pour revenir plus tard dans un autre corps, comme c'était expliqué dans ce livre.

— C'est insensé ! s'était-elle exclamée dans sa chambre, ce jeudi-là, en glissant le bouquin dans son sac d'école pour le remettre à Juliette.

Elle avait sorti l'améthyste de sa poche et l'avait regardée intensément.

— Et toi, tu serais l'une de ces pierres ?

Comme pour lui répondre, la semi-précieuse s'était soudain illuminée. Adeline était demeurée immobile, le temps que le faible halo disparaisse. La chaleur de l'améthyste s'était répandue dans son bras.

— Non, mais vraiment ! Je délire...

Si elle voulait préserver le peu de rationnel et de quiétude qui lui restait, Adeline s'était dit qu'elle devait tout oublier, faire comme si rien ne s'était passé. Effacer de sa mémoire toutes ces visions et ces curieuses impressions des derniers temps.

L'adolescente passa donc le reste de la semaine à essayer de vivre comme si tous ces bouleversements intérieurs ne s'étaient jamais produits. Et elle y parvint.

Le lundi suivant, le 27 octobre, en revenant de l'école, Adeline découvrit une autre enveloppe cachée sous le tapis de l'entrée. Inquiète, elle se pencha pour la prendre. Ses doigts tremblotaient. Elle scruta l'enveloppe quelques secondes. Elle semblait plus épaisse que les dernières. *C'est encore lui !* se dit-elle en la calant dans son sac. De sa main agitée, elle sortit ses clés qu'elle échappa.

— Mais voyons !

Adeline s'inclina pour les ramasser, et se releva. Cet après-midi-là, le vent créait un son étrange en sifflant entre les branches des érables. La jeune femme grelottait. D'autres feuilles mortes tombaient et recouvraient peu à peu l'herbe pâle. L'une d'entre elles, soulevée par la brise, vint se poser sur son pied. D'un geste vif, Adeline l'écarta, puis inséra la clé dans la serrure.

Elle entrait dans la cuisine quand les murs, les chaises et la table se mirent à vaciller dans tous les sens devant elle. Ses pensées tourbillonnèrent, pareilles aux feuilles d'automne transportées par des bourrasques. Ses orteils picotaient, comme si une colonie de fourmis escaladait ses pieds. Ce fourmillement se répandit ensuite dans ses jambes, son bassin, ses bras, son dos, son cou pour se loger sous son cuir chevelu. L'adolescente ne sentait plus du tout son corps. Elle s'affala sur le sol, inconsciente.

Paradoxalement, même si la partie d'elle-même étendue sur le parquet paraissait inconsciente, Adeline avait la vive certitude d'être bel et bien consciente. Elle était là, à quelques mètres de son enveloppe corporelle, mais sous une autre forme. Était-elle morte ? *C'est ça !* conclut-elle. En tombant, la jeune femme s'était cogné le crâne et était devenue un ange. Un ange… Adeline s'approcha de sa carcasse en flottant au-dessus du plancher pour s'immobiliser à la hauteur de son visage. L'adolescente constata qu'elle respirait toujours, que son corps vivait encore. En ce moment même, était-elle une *Amya*, telle que décrite dans le livre sur l'ancien peuple ? Elle illuminait comme si elle était constituée d'un million de petites étoiles étincelantes. Serait-elle en train d'expérimenter le déplacement de l'*Amya* pour se projeter ensuite dans une de ses vies antérieures ? Une crainte l'envahit aussitôt à cette pensée.

Adeline songea alors à son améthyste. Elle scruta le plancher, puis vit la pierre, qui avait glissé hors de sa poche de pantalon et qui brillait sur le parquet sous la fenêtre de la cuisine. Intriguée, Adeline observa la semi-précieuse. Ses rayons lumineux irradiaient dans la pièce sous différentes teintes colorées très pâles et douces. L'adolescente eut soudain l'impression d'être réellement sous son emprise, que la pierre agissait sur elle avec force. Mais que voulait l'améthyste, au juste ? Pourquoi s'acharnait-elle sur Adeline ?

Pendant quelques secondes, un nuage gris opaque obscurcit la vision de la jeune femme. Un éclat brillant comme mille soleils l'aveugla par la suite. Puis elle fut propulsée vers un ailleurs.

Adeline se retrouva sur une immense plage. Devant elle, un océan s'étirait jusqu'à l'infini.

Où suis-je? La jeune femme tourna sur elle-même pour contempler les alentours. *On dirait que je suis sur une île déserte comme on en montre dans les revues de voyages. C'est tellement beau! Les palmiers, la grève, le soleil, la mer! C'est le paradis!*

Un courant chaud effleura sa peau. Une odeur de fleurs des champs lui titilla les narines pour ensuite disparaître. Adeline observa les arbres derrière elle. Les branches ne bougeaient même pas. Il n'y avait pas de vent. Comment cette odeur lui était-elle parvenue? Elle l'ignorait. Elle se pencha pour toucher le sable. Il fila entre ses doigts. *La sensation est si réelle… Je ne dois pas être en train de rêver.*

L'effluve fleuri pénétra de nouveau ses narines et, cette fois-ci, le mouvement de l'air sembla plus fort; il traversa son corps, comme une espèce d'onde vibratoire transperçant sa peau. Des vagues aériennes au parfum de fleurs s'échouaient sur elle pour ensuite se retirer au large, après quelques secondes.

Adeline sentit une présence. Elle entrevit au loin un homme qui marchait dans sa direction, les deux pieds dans la mer. Il était vêtu de blanc et arborait une chevelure noire, étirée vers l'arrière, tombant sur ses épaules. Sa peau était blanche, ses yeux foncés. Il devait être dans la quarantaine. L'homme souriait en lui envoyant la main. Adeline resta immobile. *Pourquoi ai-je le sentiment que cet individu me connaît ?* Plus il s'approchait, plus elle avait aussi l'impression de l'avoir déjà vu.

Mais oui, c'est ça ! Je me souviens de lui. Le jour où sa tante Viviane lui avait donné l'améthyste, cet homme-là avait surgi près d'elle au moment même où Adeline touchait la pierre pour la première fois. La fillette s'était alors imaginé que cette apparition était l'ange gardien de sa tante. La vision s'était par la suite évaporée. Adeline n'avait pas eu l'occasion d'en parler avec Vivi puisque le jour suivant, sa tante avait été internée.

Ce même homme se tenait maintenant en face d'elle. L'inconnu la dépassait d'au moins une tête. Ses lèvres minces, mais légèrement gonflées, lui souriaient avec bienveillance. L'individu lui tendit une main aux doigts longs et maigres, ornée d'un anneau d'or.

— Bonjour, Adeline !

— Euh… B… bon… jour.

Intimidée, l'adolescente serra sa main dans la sienne, en baissant les yeux. Son regard s'accrocha au collier que l'étranger portait. De minuscules améthystes liées entre elles par une chaîne en or reluisaient d'une lumière qu'Adeline n'avait encore jamais vue. Elles répandaient de petits rayons lumineux multicolores qui s'agitaient dans tous les sens et formaient un halo éthéré.

Une odeur de fleurs des champs se déversa encore sur elle. La jeune femme releva la tête, puis ses yeux croisèrent les iris noirs de l'inconnu. Aussitôt, une multitude de questions se bousculèrent dans sa tête.

— Qui êtes-vous ?

— Geunam.

— Où sommes-nous ?

L'homme se redressa en montrant du doigt les immenses vaisseaux dorés qui s'apprêtaient à lever l'ancre très loin à leur gauche. Adeline ne s'était pas aperçue de l'existence de ce magnifique port. Il ressemblait à celui de Syracuse, dans le film d'animation pour enfants *Sinbad, la légende des sept mers,* qu'elle avait visionné avec Jacob, trois semaines auparavant.

— Certains habitants du continent ont décidé d'aller coloniser les terres de l'autre côté de la mer, lui apprit-il avec sa voix douce et feutrée, sans pour autant répondre à sa question. Tu vois celui qui est plus près de nous dont les voiles sont rouge et or ? Eh bien, ses passagers essaimeront la région que vous nommez actuellement l'Amérique centrale. Ces femmes et ces hommes seront les ancêtres de la civilisation maya. Ils érigeront une ville florissante qui prospérera au-delà de mille ans. Un jour, la cité ainsi que la plupart de ses habitants périront sous la lave et les flammes issues de volcans monstrueux. Et malgré ce qui sera raconté durant les siècles suivants, certains d'entre eux survivront et deviendront les seuls descendants de notre race…

L'homme plongea son regard dans celui d'Adeline. Aussitôt, une onde se brisa sur elle. C'était comme si pendant quelques secondes, une substance autre que l'air la traversait. Cette onde était accompagnée d'un son. *On dirait le tintement de cloches d'une grande église qui sonne au loin…*, pensa l'adolescente.

— Adeline, déclara Geunam, l'améthyste que tu portes est la mienne.

— La vôtre?

Adeline scrutait Geunam, les yeux grands ouverts. *Ma pierre serait la sienne!* Elle voulut en savoir davantage quand une autre onde la traversa. Cette fois-ci, l'onde était plus douce, comme une caresse. Le bruit des vagues qui déferlaient sur le sable avait remplacé le son des cloches, et se ficha entre Geunam et elle.

— S'il vous plaît, expliquez-moi, insista la jeune femme.

Les yeux noirs de Geunam scintillaient comme le miroitement du soleil sur la mer. *On dirait le regard d'un père pour sa fille,* songea Adeline. *Serait-ce lui qui m'envoie ces ondes mystérieuses?*

— Je suis un habitant du continent Mu, précisa l'homme. Nos pieds foulent justement cette terre qui a existé, il y a plus de vingt mille ans déjà, mais qui, maintenant, est engloutie sous l'océan Pacifique. Et la pierre que tu portes est la mienne. Je l'ai trouvée ici même...

Ma pierre existerait depuis au moins vingt mille ans! s'étonnait Adeline. La jeune femme désirait lui demander des explications concernant la semi-précieuse et son pouvoir, mais son regard s'attacha au collier d'améthystes de Geunam, qui s'illuminait de plus en plus. Aveuglée par cette clarté flamboyante, l'adolescente baissa légèrement les yeux. Quand elle releva la tête, Geunam avait disparu. La plage aussi, ainsi que les immenses vaisseaux, le port, l'odeur de fleurs des champs et les sons.

Adeline tomba dans un néant immaculé.

La jeune femme ignorait comment tel prodige avait pu arriver, mais la seconde suivante, elle planait dans la cuisine et observait sa chair étendue sur le sol. Elle aperçut la pierre qui brillait comme un mini soleil, toujours sous la fenêtre. L'intensité de ses rayons diminuait. Adeline le savait, le pouvoir de l'améthyste s'éteignait ainsi graduellement.

L'instant d'après, l'adolescente avait réintégré son enveloppe corporelle. Elle se réveilla, accablée d'un mal de cœur et d'une très grande fatigue. Elle ramassa la semi-précieuse, encore brûlante, puis avec peine, elle s'assit à la table, la bouche sèche. Elle se mordilla l'intérieur de la lèvre en songeant à ce voyage énigmatique et à ce Geunam, cet ancêtre maya, qui l'avait regardée avec tendresse. *Je porterais l'améthyste qu'il aurait trouvée sur le continent Mu !*

Mais qui était-il au juste ? Adeline avait-elle vu un ange, un fantôme, un mirage ? Avait-elle traversé les frontières du temps pour se retrouver sur ce continent qui aurait existé il y a déjà plusieurs milliers d'années ? *Ce Geunam,* pensa Adeline, *doit sûrement connaître le pouvoir de mon améthyste.* Pourquoi avait-il fallu qu'il se volatilise si vite ? Adeline voulait savoir… Elle avait l'intuition qu'elle tenait peut-être une piste, des indices, pour découvrir ce qui lui arrivait.

Et Geunam serait cette piste…

11

Une lettre émouvante

Quelque peu remise du choc de son retour à la réalité, Adeline se souvint de la nouvelle lettre trouvée sous le paillasson. Appuyée sur le dossier de la chaise, elle déchira l'enveloppe et, avec délicatesse, en sortit les feuilles. Qu'allait lui dire son soupirant anonyme, cette fois ? Et d'abord, qui pouvait-il bien être ? Daniel ? Ces questions se chahutaient dans son esprit.

Encore tremblante d'émotion à cause de ce qu'elle venait de vivre, l'adolescente déplia les feuilles et lut :

> Ma douce et tendre Adeline,
>
> Mon amour pour toi grandit jour après jour, mais... le monstre dans mon corps aussi ! Plus je t'aime, plus j'ai mal !

Je rêve de toi, Adeline! Je te désire. J'aimerais être le père de tes enfants, bâtir ma vie à tes côtés et finir mes jours dans tes bras. J'ai soif de nos éclats de rire, de notre complicité, de tes yeux, de ta bouche...

J'ai trop mal, Adeline. Et cette douleur n'est pas que physique, elle vit à l'intérieur de ma tête, de mon cœur, enfouie au plus profond de mon être. Le destin est trop cruel. J'ai peur de mourir! J'ai besoin de toi, Adeline, de tes étreintes, de ton amour, de ta tendresse, de ta chaleur. Adeline, chère Adeline...

Parfois, je me lève le matin et je me dis que tout cela n'est qu'un cauchemar, que la réalité est tout autre: que tu m'aimes et que le monstre n'existe pas!

D'autres fois, je me réveille en t'imaginant endormie dans mon lit. Tu es si belle, si douce... Je t'aime tant, Adeline. Et mon amour pour toi me ronge à l'intérieur, car je n'ai pas le courage de te le dire en personne. J'ai si peur que tu ne m'aimes pas, que tu me détestes, que tu me quittes. J'ai peur que tu me fasses souffrir!

Chère Adeline, je suis trop compliqué! On dirait que je suis

effrayé à l'idée d'être heureux.
Et cette angoisse, ancrée au plus profond de mon cœur, me suit et m'enchaîne. Elle m'habite depuis que je suis tombé amoureux de toi. Je ne sais pas quoi faire pour m'en libérer...

Je suis conscient qu'en t'écrivant cette lettre tourmentée, je bouscule tes émotions. Mais j'ai besoin que tu saches tout ça, que tu découvres enfin par toi-même qui je suis. Peut-être sauras-tu me sauver?

Cette lettre chavira Adeline pour de bon. Elle la déposa sur la table, le regard perdu dans le néant. Son corps tremblotait et ses mains étaient moites. Elle avait du mal à remettre ses idées en place.

— Mon Dieu qu'il fait chaud! s'exclama-t-elle en touchant ses joues brûlantes.

Adeline se leva pour se servir un verre d'eau. Elle but à grandes lampées, profitant de la fraîcheur du liquide dans sa bouche et dans sa gorge. Puis elle se rassit. Fixant la lettre, la jeune femme tenta de respirer normalement, une main sur la poitrine. Les mots intenses de cet amoureux anonyme étaient venus l'ébranler au point d'éveiller en elle un sentiment qu'elle n'arrivait pas à saisir, une émotion encore jamais ressentie...

Progressivement, les morceaux du *puzzle* s'imbriquaient dans sa tête. Cet homme, ou ce garçon, était gravement malade. Le monstre dans son corps personnifiait sans aucun doute une maladie mortelle. Il était désespéré face à son tragique destin et l'idée de souffrir le terrifiait. Il voulait qu'Adeline le sauve...

Interrompant ses réflexions, le père et la mère d'Adeline entrèrent dans la maison. Ils riaient et se cajolaient. L'adolescente les regarda en soupirant. Ces deux tourtereaux flottaient dans leur bulle de bonheur.

— Bonjour, Adeline, lui dit son père d'une voix chantante en aidant sa douce à enlever son manteau. Comment ça va?

Il la toisa quelques secondes, avec un air inquiet.

— Tu as une drôle de mine! ajouta-t-il. Tu es toute rouge!

Ève se tourna vers sa fille.

— C'est vrai, mon chou, tu as raison! dit-elle.

Puis elle s'approcha d'Adeline pour poser une main sur son front.

— Est-ce que tu te sens bien, ma chérie?

— Oui, oui! lança froidement l'adolescente en pliant la lettre.

Adeline se leva puis leur lâcha:

— Je n'ai pas faim. Je m'enferme dans ma chambre. Si mes amis appellent, je ne suis là pour personne. Dites-leur ce que vous voulez. Que je suis malade, que je suis partie en vélo, en voyage… Ça n'a aucune espèce d'importance ! Je ne veux voir personne !

Chocolat ! s'exclama-t-elle pour elle-même. *J'ai craché ces mots avec une telle hargne ! Ce n'est pas moi, ça !* Troublée, elle tourna le dos à ses parents pour se diriger vers sa chambre. Elle ferma la porte derrière elle et la verrouilla. Puis elle s'affala sur son lit, un nœud dans le ventre et des larmes dans les yeux.

Je vais devenir complètement folle ! J'ai la mort d'un côté et la naissance de l'autre !

La jeune femme se sentait piégée par le destin ou… par la pierre ! Elle la sortit aussitôt de sa poche. L'améthyste était chaude et illuminait faiblement.

— Il faut absolument que je sache qui est l'auteur de cette lettre.

Elle se releva et marcha vers la fenêtre. Assise sur le profond cadre de bois, elle essuya ses yeux puis reprit la lettre pour en relire quelques passages. Son mystérieux correspondant avait bel et bien écrit qu'elle saurait peut-être le sauver…

Soudain, le souvenir de son rêve sordide revint avec force. Adeline revoyait l'homme qui s'était jeté en bas du pont. *C'est ça!* se dit-elle. *Il veut se tuer! Et ses lettres seraient en fait un message de détresse.* Cet amoureux anonyme attendait qu'Adeline le sauve. L'adolescente crispa les poings à cette seule pensée. *Mais comment veux-tu que je t'aide?* lui cria-t-elle dans sa tête. *Je ne sais même pas qui tu es!* D'un geste rapide, elle glissa une main dans ses cheveux, en se mordillant la lèvre inférieure.

Pour se calmer, elle plongea son regard dans l'arbre qui s'élevait devant sa fenêtre. Un geai bleu voltigeait d'une branche à l'autre. Sur le sol reposait un amas de feuilles multicolores. D'autres, plus tenaces, s'accrochaient encore à l'érable. Un rayon de soleil de fin d'après-midi vint recouvrir l'oiseau. Son plumage étincela.

Et si c'était vraiment lui? se demanda Adeline en songeant à Daniel. *Il est hospitalisé, souffrant.* La jeune femme se remémora sa deuxième vision, celle de l'homme étendu sur un lit d'hôpital entouré de ses proches. Un frisson lui chatouilla la nuque. *Serait-ce possible que Daniel soit victime d'une maladie mortelle et qu'il soit amoureux de moi?*

Terrassée à cette pensée, l'adolescente roulait l'améthyste dans sa main.

Le geai bleu vola devant la fenêtre pour disparaître ensuite derrière l'arbre. Les yeux d'Adeline tombèrent sur les dernières feuilles qui vrillaient au vent, mais qui ne semblaient pas vouloir se détacher. Elle fronça les sourcils. Ce détail de la nature éveilla en elle un écho qu'elle n'arrivait pas à capter de façon précise.

12

Ils avaient promis...

Adeline sortit de sa chambre seulement vers dix-neuf heures trente. La faim lui tiraillait l'estomac. Elle se dirigeait vers la cuisine quand des murmures attirèrent son attention. Ses parents chuchotaient dans le salon, assis l'un près de l'autre sur le canapé. Ils ne l'avaient pas entendue. L'expression de leurs visages inquiéta Adeline. Ils semblaient soucieux et attristés. Elle se cacha, colla son oreille au mur pour écouter leurs propos.

— Tu crois qu'elle se doute de quelque chose? demanda la voix de sa mère.

— Je ne sais pas... L'autre matin, j'ai failli tout dire, répondit celle de son père, mais je me suis retenu à temps. Il nous a fait promettre de garder le secret. Il faut que nous respections sa volonté de le lui dévoiler à sa façon.

Adeline s'étira légèrement pour jeter un coup d'œil discret dans la pièce.

— Oui ! Je sais ! dit Ève, pensive. Crois-tu que ces lettres qu'Adeline reçoit proviennent de lui ?

— Peut-être... Ce serait son genre ! Adeline est charmante, gentille et dotée d'une grande intelligence. Il pourrait en être tombé amoureux. Mais s'il l'est, ma douce, il nous le cache très bien.

Ève se tourna vers son mari puis déposa quelques doigts sur sa joue.

— Chéri, si tu étais à la veille de mourir, comme lui, me le ferais-tu savoir ?

Adeline vit son père se pencher et poser la tête sur la poitrine de sa conjointe.

— Oui, mon amour ! Je voudrais finir ma vie dans tes bras et m'endormir pour toujours avec les vibrations de ton cœur...

— Je t'aime tant !

Émue par l'amour unissant ses parents, mais aussi par cette foudroyante nouvelle, l'adolescente sortit de sa cachette.

— De qui vous parlez ? leur demanda-t-elle brusquement. Je vous ai entendus...

Embarrassé, son père se leva et s'approcha d'elle.

— Adeline, ma chérie… Tu as vraiment tout entendu ? lui demanda-t-il en jetant un œil inquiet sur sa femme.

— Oui…

Ève les rejoignit aussitôt en posant un regard triste sur sa fille.

— Adeline, je suis profondément désolée, dit-elle. Mais ton père et moi ne pouvons rien te dire de plus, pour l'instant…

— Vous avez parlé de mort ! insista Adeline. Qui va mourir ? Je dois le savoir.

— Ma chouette, je comprends ce que tu peux ressentir, lui dit Ève qui voulut déposer un bras sur les épaules de sa fille.

Adeline s'esquiva, les poings serrés.

— Non ! Vous ne me comprenez pas, leur lança-t-elle, complètement chavirée, sinon vous me diriez tout ! Ce n'est pas juste que je ne sache rien. Ça me concerne aussi… Vous avez dit que cet homme pourrait être amoureux de moi et qu'il pourrait avoir écrit les lettres que j'ai reçues…

Un tremblement secoua soudain la jeune femme. Les yeux baignés de larmes, elle tourna le dos à ses parents et se précipita vers sa chambre. Adeline avait totalement perdu l'appétit.

Bouleversée, l'adolescente s'assit à sa table de travail, le regard rivé sur la dissertation à remettre le lendemain. Elle pesta contre ses parents. Elle essuya ses yeux avec un mouchoir et prit quand même son crayon. Adeline voulait éloigner de ses pensées cette mort annoncée en se concentrant sur son travail de français, mais elle en fut incapable. Savoir que l'une de ses connaissances allait mourir tout en ignorant son identité lui était insupportable. La jeune femme saisit son améthyste et la mania entre ses doigts pour se calmer.

Son malaise se dissipa peu à peu, lui permettant de mieux réfléchir.

Ainsi, mes parents connaissent cette personne. Dans sa tête, Adeline faisait le compte de leurs relations quand un autre trouble l'agita.

Daniel...

L'adolescente prit conscience que ses parents et son professeur fréquentaient tous les trois le même centre sportif et s'adonnaient au même sport : le squash. Ils avaient dû jouer des parties ensemble et créer des liens...

D'autant plus que la jeune femme se rappelait clairement avoir déjà entendu son père mentionner le nom de Daniel lors d'une discussion à la table durant un déjeuner. Il n'avait pas arrêté de vanter les mérites de ce jeune homme au squash. Adeline l'avait écouté avec une oreille très attentive, fortement intéressée d'apprendre un détail nouveau concernant Daniel. Son père était émerveillé par son style de jeu et sa forme physique. « Je n'ai jamais vu d'athlète de ce genre auparavant, avait-il confié à Ève. Il possède la maîtrise, le sens du jeu, les positions... C'est un athlète pur ! Dire qu'il est enseignant ! Mais pourquoi ? Il devrait plutôt faire partie d'une équipe professionnelle de squash. »

Adeline soupira en déposant la pierre devant elle. Que Daniel puisse être l'auteur de ces lettres l'enchantait au plus haut point, mais l'attristait profondément... Une angoisse diffuse l'empêchait de se concentrer. *Comment je fais, maintenant, pour terminer ma dissertation ?* Cette situation insoutenable lui faisait trop mal...

Vers vingt et une heures, l'adolescente sortit de sa chambre. Elle avait décidé qu'elle terminerait son travail le lendemain matin, avant de partir pour l'école. La jeune femme avait passé la soirée plongée dans un roman policier, ne sachant pas quoi faire d'autre pour éviter de penser à l'hypothèse de la mort prochaine de Daniel...

Elle jeta un coup d'œil par la porte ouverte de la chambre de ses parents. Ils lisaient, assis confortablement dans leur lit avec la musique des Quatre Saisons de Vivaldi qui résonnait dans la pièce.

— Adeline ! cria sa mère en voyant sa mine affreuse. Est-ce que ça va, ma chérie ?

— Oui, maman, mais je meurs de faim, mentit-elle.

— Ah ! Bon, d'accord !

La jeune femme avait décidé qu'elle devait avaler un morceau malgré son appétit coupé. Elle se dirigea vers la cuisine. La table était déjà mise pour le lendemain. Elle ouvrit le réfrigérateur, attrapa le contenant de lait et une pomme. Une boîte de céréales traînait sur le comptoir. Elle la prit, s'assit et prépara sa collation.

— Que fais-tu ? demanda une voix grave derrière elle.

Son père s'était approché. Il tira une chaise pour s'asseoir près d'elle.

— Je laisse tomber des morceaux de pomme dans mes céréales, comme tu vois !

Il la regarda, la tête légèrement penchée sur le côté, et se gratta le front. Ses cheveux étaient tout dépeignés. Adeline esquissa un sourire. Elle le trouvait mignon quand il était au naturel, sans complet ni cravate, sa barbe assombrissant son visage. Son père était-il venu pour lui dévoiler enfin la vérité ? Adeline l'espérait…

Il déposa les mains sur le napperon et garda le silence, tête basse, pour ensuite la relever et attacher son regard à celui de sa fille.

— Adeline, ta mère et moi sommes vraiment navrés de ne pouvoir rien te dire, mais tu dois nous comprendre. On a promis...

Déçue, Adeline plongea sa cuillère dans ses céréales.

— N'en parlons plus..., dit-elle en avalant sa première bouchée.

Un silence se glissa entre eux. Seul le son de l'ustensile qui frappait le bol retentissait dans la cuisine. Puis, le père d'Adeline lui demanda :

— Ma chouette... Depuis quelques jours, tu sembles soucieuse et tourmentée. Aimerais-tu en discuter avec moi ?

Elle le fixa, les yeux grands ouverts. Cette question, tel un bouton déclencheur, avait éveillé une horde de mots et de phrases qui maintenant se bousculaient pour sortir. Adeline souhaitait crier à son père qu'elle leur en voulait, à lui et à sa mère, de lui cacher des vérités. Mais ils avaient promis... Elle désirait pourtant soutirer une confidence à son père en lui décrivant l'effet que les lettres produisaient chez elle. Adeline en était à présent certaine, ces phrases avaient fait naître en elle un sentiment amoureux : une émotion vraie, forte, qui la troublait vivement. Elle aurait aussi voulu dévoiler à son père que depuis deux semaines, elle faisait d'étranges expériences hors de son corps, accompagnées de visions et de rêves récurrents, mais l'aurait-il cru ? Plus que tout, elle aurait aimé lui confier ses peurs, son inquiétude, son anxiété face à tout ce qu'elle vivait, et sentir les bras de son père la réconforter. Mais au lieu de ça, elle ravala ses mots, incapable d'avouer à son père ses sentiments intimes et déchirants. La crainte de ce qu'il aurait pensé d'elle l'empêchait de se livrer à lui. Elle s'entendit plutôt lui dire :

— Non. Tout va bien, papa. Je m'occupe de mes affaires comme une grande…

Son père plongea alors son regard plus profondément dans le sien. Déstabilisée, Adeline détourna les yeux. Il déposa une main sur son épaule, puis se leva lentement. Il l'embrassa sur la joue en murmurant à son oreille :

— Si tu as besoin de moi, Adeline, je suis là. Bonne nuit.

Adeline dormit très mal. Elle se réveilla à plusieurs reprises, le visage embué de larmes, paniquée d'être arrivée trop tard pour sauver l'homme sautant en bas du pont. Et dans chacun de ces rêves qui revenaient constamment, l'individu désespéré choisissait un monstre de fer plus haut que le précédent afin que sa mort soit inévitable…

13

À la recherche du continent perdu

Durant le reste de la semaine, Adeline reçut de courtes missives de cet amoureux qui demeurait dans l'ombre. De simples phrases, des mots d'amour torturants. De plus, toutes les nuits, le même rêve la tourmentait. Le mardi et le jeudi, elle eut deux autres visions : l'une dans la chambre d'hôpital et l'autre dans un cimetière. Et l'améthyste avait chaque fois réagi en s'illuminant comme un mini soleil. La jeune femme en était venue à croire que son prétendant secret et l'inconnu du pont étaient le même homme, et que la mort de ce passionné approchait.

Pour ne pas sombrer dans ses pensées morbides, Adeline avait décidé de se lancer à la recherche de preuves tangibles de l'existence de Geunam et du continent Mu. Elle était convaincue que tout ce qui lui arrivait avait une raison, logique ou pas. Et elle devait absolument la découvrir.

L'adolescente avait donc passé quelques midis au local d'informatique à naviguer sur Internet. Elle trouva enfin un site fiable relatant l'existence d'un colonel nommé James Churchward, qui aurait mis la main sur des tablettes naacales aux Indes, au début du vingtième siècle. Aidé d'un grand prêtre indigène, cet homme les aurait traduites pour ensuite écrire plusieurs livres sur le sujet, dont l'un intitulé *Mu, le continent perdu*.

Adeline avait parcouru le site avec le pressentiment qu'elle tenait enfin une piste. Ce midi-là, elle en avait oublié de manger, tellement elle était absorbée par sa lecture.

Impatiente de trouver ce livre, la jeune femme visita les deux bibliothèques de la ville. Mais aucune ne comptait parmi ses ouvrages le livre de James Churchward.

À la seconde bibliothèque, une dame assez âgée assise derrière le comptoir, à qui la jeune femme avait demandé conseil, lui suggéra :

— Ma chère, vous devriez aller à la boutique de livres usagés au centre-ville. Elle se nomme *Aux Vieux Papiers*. C'est mon fils qui en est le propriétaire. Peut-être y trouverez-vous ce que vous cherchez...

Je n'ai rien à perdre, se dit alors Adeline. Elle la remercia et le lendemain, après les cours, elle se rendit en vélo à cette librairie d'occasion. Elle rangea sa bicyclette contre la vitrine du magasin avant d'entrer.

— Bonjour mademoiselle, lança une voix masculine aussitôt qu'Adeline mit les pieds à l'intérieur. Puis-je vous aider ?

Adeline fut surprise de l'empressement de l'homme. Il avait les cheveux grisonnants et ondulés. Une petite paire de lunettes rectangulaire glissait constamment au bout de son nez. Il la remontait donc à tout instant.

Adeline fit sa requête. L'homme la guida dans une salle au fond du magasin. Pour s'y introduire, il fallait traverser un rideau de perles. Une lumière tamisée éclairait la pièce. L'endroit portait bien son nom, car une odeur de vieux papiers imprégnait l'air et fit éternuer la jeune femme. Le propriétaire l'assura qu'elle pouvait prendre tout son temps. Puis il la laissa seule... seule avec tous ces livres rangés par ordre alphabétique dans d'immenses bibliothèques recouvrant les quatre murs en entier.

La jeune femme se dirigea vers la rangée C, scruta le nom de chaque auteur pour enfin reconnaître celui qu'elle cherchait, inscrit en lettres minuscules sur un petit livre à la couverture rouge et or intitulé *Mu, le continent perdu*. Heureuse d'avoir trouvé l'ouvrage si facilement, elle ressortit de la pièce, paya le bouquin en vitesse et remercia poliment le propriétaire avant de quitter la boutique.

Cette nuit-là, la jeune femme s'endormit vers deux heures du matin. Elle avait lu le livre au complet. Mais à sa grande déception, le nom de Geunam n'y était pas mentionné. Adeline avait tout de même appris que ce continent aurait bel et bien existé, que de nos jours, des vestiges de cette ancienne civilisation subsisteraient encore un peu partout sur la terre, entre autres sur l'Île de Pâques, en Asie, au Mexique, en Égypte… Selon le colonel Churchward, ce continent peuplé d'habitants aux mœurs pacifiques aurait été le jardin d'Éden évoqué dans la Bible. Il s'agissait des Naacals, comme dans le livre que Juliette lui avait prêté. La croyance de ce peuple en la réincarnation était, ici aussi, démontrée.

Avant de s'endormir, Adeline avait douté profondément d'elle-même, hantée par de grandes questions existentielles. Elle s'était demandé si tout ce que ses parents et enseignants lui avaient appris sur la condition humaine était vrai. Devait-elle croire aux vies antérieures, comme ces deux auteurs l'expliquaient dans leurs livres respectifs ?

Le concept de la réincarnation faisait extrêmement peur à Adeline. En fait, c'était la possibilité d'avoir été la cause de la mort de l'homme qui s'était pendu dans sa première vision qui la terrorisait le plus. Elle avait du mal à s'imaginer avoir fait tant de peine à un homme qu'il se suicide... *Ce n'est pas moi, ça,* avait-elle pensé, couchée sous ses couvertures. *Je ne suis pas aussi cruelle.* La pierre au creux de sa main droite, Adeline avait espéré revoir Geunam en rêve pour qu'il lui dévoile le secret de son améthyste, et qu'elle découvre enfin la raison de tout ce qui lui arrivait.

Mais, au lieu d'une révélation tant souhaitée, elle avait encore fait son rêve récurrent...

Le dernier jour de la semaine, le 31 octobre, Adeline alla rendre visite à Juliette pour lui remettre le vieux grimoire. L'adolescente avait les yeux cernés par tant de nuits manquées. Elle passa au local de l'infirmière vers onze heures quarante-cinq, avant d'aller dîner. Déguisée en véritable sorcière pour la journée de l'Halloween, Juliette lisait, les deux pieds sur son bureau, la porte ouverte. Des mèches mauves aux pointes orangées émergeaient çà et là sous son chapeau de feutre noir. Quand elle aperçut Adeline debout sur le seuil, elle figea.

— Mon Dieu, Adeline ! Que t'arrive-t-il ? Entre, lui dit-elle d'une voix accueillante.

La jeune femme s'avança vers elle.

— Tiens, Juliette. Merci de me l'avoir prêté…

L'infirmière allongea le bras pour prendre le fameux livre. Pendant un moment, leurs regards se croisèrent. Adeline sentit un frisson lui parcourir la peau. Les yeux de cette sympathique sorcière brasillaient en la sondant avec insistance.

— Est-ce qu'il t'a été utile ? lui demanda-t-elle en se levant de sa chaise pour ranger le bouquin dans la bibliothèque.

Adeline sourit, puis soupira… Que pouvait-elle lui répondre ? Juliette revint aussitôt vers elle, les yeux pétillant de curiosité.

— Euh…, bredouilla Adeline, je ne sais pas. Je crois que ma pierre me permet de traverser la frontière qui sépare notre monde d'un autre. Mais j'ignore pourquoi… En plus, l'auteur de ce grimoire affirme que les pierres peuvent nous mettre en contact avec une vie antérieure. Pour être franche, Juliette, je ne me sens pas tout à fait à l'aise avec ça…

Pour changer de sujet, elle ajouta :

— Enfin, ce ne sont que des hypothèses un peu folles… Est-ce que tu sais où Daniel est hospitalisé ?

L'infirmière fronça les sourcils.

— Oui, je sais. Tu aimerais aller le voir ?

— Oui, pour lui offrir une carte de prompt rétablissement…

Juliette esquissa un sourire en coin, car Adeline fuyait son regard. L'infirmière se rassit dans son fauteuil et ouvrit un tiroir. Elle en sortit un bout de papier sur lequel elle gribouilla quelques mots.

— Tiens, lui dit-elle en tendant la petite feuille vers l'adolescente. À ce que j'ai entendu hier dans le salon du personnel, Daniel y séjournera pour une semaine encore.

Adeline prit le papier en remerciant l'infirmière, et le glissa dans sa poche. L'adolescente s'apprêtait à quitter le local quand elle se tourna vers Juliette pour lui demander :

— As-tu déjà entendu parler de Mu, le continent disparu ?

— Mais oui, mais oui… J'ai déjà lu un livre sur le sujet, répondit l'infirmière en lissant sa robe noire.

Adeline sortit son améthyste pour la tenir devant leurs yeux.

— Cette pierre, commença-t-elle, aurait appartenu à Geunam, un habitant du continent Mu. C'est lui qui me l'a dit lors de mon dernier voyage extracorporel.

L'infirmière prit l'améthyste et l'examina soigneusement.

— Geunam, tu dis ?

Juliette roulait la semi-précieuse dans sa main, perdue dans ses pensées, comme si d'avoir entendu ce nom avait fait surgir de sa mémoire un détail lointain. Elle revint dans le présent en secouant la tête légèrement, et remit la pierre à Adeline.

— Est-il un Naacal? lui demanda-t-elle.

Adeline haussa les épaules.

— Je ne sais pas. J'ai fait des recherches sur Internet, dans les bibliothèques et en librairie, et je n'ai rien trouvé le concernant. Mais j'ai l'impression que cet homme détient le secret de mon améthyste...

Après avoir remis sa pierre en place, Adeline planta ses yeux dans ceux de l'infirmière.

— Ce qui me déroute, Juliette, c'est que je n'ai pas encore de preuve de son existence. Alors tout ce que j'ai vécu peut ne pas être vrai, et je pourrais avoir un sérieux problème dans mon cerveau, comme ma tante Viviane...

— Non, Adeline, je ne crois pas, la rassura l'infirmière. Tu es très saine d'esprit. Quelque chose me dit que tu es sur la bonne voie. Continue de chercher. C'est le mieux que tu puisses faire maintenant pour arriver à comprendre ce qui se passe.

14

Un ange passait par là

Le soir venu, Adeline était assise sur le cadre de bois de sa fenêtre. Une mer de lettres amoureuses s'étendait devant elle. Elle les relisait, l'une à la suite de l'autre, sous la lumière des étoiles et de sa petite lampe. Et chaque fois, ces mots si intenses imprégnaient son cœur d'une vague de tendresse envoûtante. Adeline adorait cette façon particulière avec laquelle ce prétendant lui exprimait son amour. Cette passion qu'elle lisait entre les lignes l'enveloppait d'une volupté qui faisait vibrer chaque parcelle de son corps. Elle avait aussi l'impression que cet amour avait toujours existé. Endormi dans la poussière de sa conscience, il s'éveillait enfin grâce à la magie de ces mots doux.

Mais à son grand malheur, cet amour était impossible, puisque ce gars-là allait mourir.

— Oh, Daniel ! Est-ce que c'est toi ? osa-t-elle prononcer tout haut en fixant le bout de papier sur lequel était inscrit le nom de l'hôpital.

Adeline devait à tout prix découvrir qui était l'auteur de ces lettres. Elle rangea les missives et son améthyste sur sa table de chevet, puis se glissa dans ses draps, avec une idée derrière la tête.

Le lendemain matin, elle appela Jacob. C'était le premier novembre, une journée fraîche. Elle avait décidé que le temps des confessions était arrivé, alors elle lui proposa une excursion dans la ville. La voix de Jacob lui parut un peu faible, au téléphone.

— Oui, Adeline, ça me tente. Je te rejoins chez toi dans une heure. Ça te va ?

Ça lui allait.

Une heure plus tard, il arriva. Adeline fut estomaquée par son état. Ses yeux bouffis et veinés scintillaient d'une lueur étrange. Ses épaules s'affaissaient et même ses doigts étaient amaigris.

— On y va ? lui demanda-t-il avant qu'elle ne puisse exprimer son malaise.

La jeune femme acquiesça de la tête.

Sur le trottoir, Jacob avançait lentement en silence, les mains bien au chaud dans son polar. Un vent frisquet balayait les feuilles à leurs pieds. Le ciel partiellement ennuagé laissait quelques rayons de soleil toucher la terre. En ce temps de l'année, le chant des oiseaux se faisait plus rare, mais la mélodie des mésanges accompagnait le son de leurs pas. Elle emplissait le silence qui régnait entre les adolescents. Adeline épiait Jacob du coin de l'œil. Il grelottait. Sa respiration était courte et semblait difficile, comme si une masse obstruait ses poumons. Ses yeux fixaient le vide devant lui. Un calme serein mais étrange émanait de sa personne. Sa quiétude apaisait Adeline. Elle éprouvait même, à cet instant-là, une grande tendresse pour lui.

— Sais-tu que tu es mon meilleur ami et que je t'aime comme tu es ?

Il lui lança un regard coquin, sans dire mot. Inquiète, elle fronça les sourcils.

— Est-ce que ça va, toi ? Tu n'as pas l'air en forme. Tes joues sont toutes creuses, lui dit-elle en palpant la pommette de son ami.

Jacob lui jeta une œillade amusée qui la rendit mal à l'aise. Qu'allait-il encore inventer comme folie ? Il s'arrêta de marcher, se tourna vers Adeline pour prendre sa main et la glisser sur son cœur.

— Ah ! Adeline, je suis ton chevalier dingue et ton fidèle serviteur, se moqua-t-il en modifiant sa voix. Ma chère Adeline, tout va bien dans ma vie, poursuivit-il en retenant ses fous rires. En fait, je n'ai pas dormi de la nuit, car j'ai vomi plusieurs fois. Un virus bizarre m'attaque depuis quelque temps et moi, piètre chevalier, n'ai pas su encore le repousser. Voilà pourquoi, belle Adeline, je suis plus maigre ces temps-ci et si fatigué ce matin, termina-t-il en se courbant devant l'adolescente tel un preux chevalier.

Adeline éclata de rire. Elle aimait tant sa façon originale de lui communiquer les choses ! Elle était rassurée, mais pas complètement… Un malaise indicible persistait toujours en elle.

Ils reprirent leur marche.

— Et ce matin, est-ce que ça va mieux ?

— Oui, je n'ai plus la « patate » en compote. Je me suis réveillé crevé et j'avais faim. J'ai été capable d'avaler un bol de céréales sans le régurgiter.

Adeline sentit une chaleur dans sa poche. Elle y plongea une main. Son cœur fit un bond, car la pierre était vraiment brûlante… Comme d'habitude, elle ne comprit pas pourquoi la pierre se manifestait ainsi.

Essayant de se concentrer sur la raison pour laquelle elle était venue marcher avec

Jacob aujourd'hui, un doute s'empara d'elle. Adeline avait oublié un détail : la dernière fois qu'elle lui avait parlé de ses lettres, Jacob avait eu une drôle de réaction. Allait-il encore la narguer ? Malgré cette crainte, elle se lança :

— Tu sais, j'ai encore reçu d'autres lettres de cet amoureux.

Le regard de Jacob s'assombrit.

— Toi et tes foutues déclarations d'amour ! Tu n'en as pas assez de tout ça ?

Il la bouscula légèrement sur le côté. Que faisait-il ? Lui en voulait-il à ce point ? Mais Adeline s'aperçut vite qu'en agissant ainsi, son ami lui avait simplement évité un accident. Une fillette dévalait la rue en vélo devant eux. Elle avait failli les renverser. Adeline ne l'avait jamais entendu venir.

Reprenant ses esprits, elle dévisagea Jacob avant de répondre à sa question :

— Je ne sais pas. Tu vas sûrement rire de moi, mais ce qu'il écrit me fait de l'effet. Il semble si sincère et si désespéré. Ces lettres ne sont pas un canular !

Un léger sourire s'ébauchait sur les lèvres de Jacob. Adeline poursuivit :

— Il me bouleverse ! Je crois même que… j'en suis tombée amoureuse. C'est fou ! Et le plus grave dans tout ça, c'est qu'il est malade, Jacob ! Gravement malade ! Il va mourir. Il ne me l'a pas annoncé directement, mais je le sais. Tiens, regarde…

Elle sortit de ses poches des feuilles toutes pliées en carrés, et les lui remit.

— Lis ces lettres et tu verras, lui proposa-t-elle avec douceur.

Les deux jeunes s'arrêtèrent sous un immense pin près d'une artère passante. Le bruit des voitures bourdonnait tout autour. Adeline se pencha pour ramasser une cocotte. Jacob s'appuya sur l'arbre et déplia la première missive qu'Adeline avait reçue. Tandis qu'il lisait, la jeune femme arrachait chaque écaille de la pomme de pin, se gommant les doigts de résine. Elle avait hâte de connaître sa réaction. Trente secondes plus tard, son ami affichait un sourire goguenard. Adeline grimaça. Se moquait-il d'elle? De son amoureux anonyme? Il replia la page et la lui tendit.

— C'est du sérieux! railla-t-il.

Il s'attaqua à la deuxième lettre. Aucun commentaire, cette fois. Il la lui redonna, avec délicatesse. Il lut enfin la troisième, la plus longue et la plus intense. Adeline s'approcha de lui. Jacob tourna la tête vers elle et attacha son regard au sien. Un effluve de résine se faufila entre eux. Les pupilles du jeune homme se dilatèrent. Il replongea aussitôt dans la lettre.

— Wow ! Adeline ! s'exclama-t-il après avoir terminé sa lecture. C'est plus que du sérieux !

Il lui remit enfin la missive en lui demandant pourquoi, selon elle, ce prétendant avait-il écrit à la toute fin :

> « Mais j'ai besoin que tu saches tout ça, que tu découvres enfin par toi-même qui je suis. Peut-être sauras-tu me sauver ? »

— Il veut s'enlever la vie, c'est évident ! lui répondit Adeline.

Jacob fronça les sourcils en pointant le menton dans sa direction.

— Ça ne tient pas debout, ton affaire. Il écrit qu'il a peur de mourir et tu dis qu'il veut se suicider. Ce mec est complètement détraqué !

Adeline soupira. Jacob avait peut-être raison.

— Et de qui crois-tu qu'il s'agit ?

— Je pense que c'est notre enseignant de français. Daniel…

Jacob s'esclaffa, comme elle s'y attendait.

— Mais voyons, Adeline ! Un prof ? En plus, Daniel est hospitalisé ! Comment veux-tu qu'il t'apporte tes lettres ?

— Je ne sais pas, moi. Il envoie peut-être un messager…

Jacob continua de rire. Elle lui fit une grimace en lui lançant sa cocotte au visage. Ils reprirent leur marche et Jacob, retrouvant son sérieux, ajouta :

— Bon, admettons que ce soit possible... As-tu une idée de la façon dont tu vas t'y prendre pour vérifier si le *beau Daniel* est véritablement l'auteur des lettres ?

Adeline plongea une main dans sa poche et en ressortit un bout de papier qu'elle lui brandit sous le nez.

— Regarde.

— « Hôpital Sainte-Croix » ? Tu veux aller le voir à l'hôpital ?

— C'est ça...

— Bon bien, allons-y ! Qu'est-ce qu'on attend ? Courons vers l'amoureux désespéré d'Adeline...

Jacob se mit à marcher vite, trop vite pour Adeline. Il s'éloignait devant elle d'un pas raide et mal assuré, perdu dans un pantalon trop grand pour lui.

— Attends, Jacob ! Qu'est-ce qui te prend ?

Jacob ralentit, mais se retrancha dans un lourd silence pendant de longues minutes. Une fois de plus, son ami s'était enfermé à l'intérieur de lui-même. Mais aujourd'hui, elle ne le laisserait pas se défiler.

— Jacob, lui demanda-t-elle aussitôt en posant une main sur son épaule, pourquoi tu t'évades comme ça ? Je suis ta meilleure amie…

Il se tourna vers elle. Pendant deux secondes, ses yeux affichèrent une tristesse qui chavira l'âme de l'adolescente. Mais l'instant d'après, un sourire illuminait son visage amaigri. Il lui envoya un clin d'œil rassurant.

— Je n'ai rien, lui dit-il sur un ton enjoué. Ne t'en fais pas pour moi. Le plus important, c'est de découvrir si Daniel est ton amoureux anonyme, non ? Allons-y.

— Jacob…

Adeline était tellement confuse qu'elle était incapable d'exprimer tout haut le fond de sa pensée. Son ami était le garçon le plus imprévisible qu'elle connaissait. Et quand il changeait d'humeur aussi abruptement, il la désarçonnait. *Jacob ne pourra plus contenir bien longtemps en lui ce qui le tourmente…*, pensa-t-elle. *Il va devoir en parler, sinon il va exploser !*

Soudain, elle sentit son cœur se presser comme si plusieurs mains pesaient sur sa poitrine. Elle manquait d'air, mais s'attacha à ne pas le montrer. Par réflexe, elle sortit la pierre de sa poche et la mania entre ses doigts pour se calmer. L'améthyste était extrêmement chaude et reluisait étrangement sous la lumière du jour.

— Tu as encore cette pierre ! s'étonna Jacob en observant l'objet mauve. Tu la portes sur toi depuis qu'on se connaît ? Est-ce que je peux la prendre, un instant ?

Sans hésiter, Adeline la lui donna. Jacob sursauta.

— Aïe ! Elle brûle ! Comment ça se fait ?

— Écoute, Jacob, je dois te confier un secret, mais d'abord tu dois me promettre que tu ne me traiteras pas de folle, OK ?

Jacob la fixa, un sourire fendu jusqu'aux oreilles.

— Je le jure.

Adeline s'apprêtait à lui dévoiler ce qu'elle vivait depuis quelque temps, mais les mots se coincèrent dans sa gorge. Un trouble indéfinissable l'empêchait de tout révéler à Jacob. Elle s'efforça de combattre cette retenue inexpliquée, mais rien ne sortait.

— Je t'écoute..., insista Jacob, qui remit la pierre dans la main d'Adeline.

L'adolescente baissa la tête.

— Je suis désolée, Jacob. Je ne sais pas pourquoi, mais je suis incapable de te dévoiler mon secret... Tu n'es pas fâché contre moi ?

— Mais non, voyons ! Tu m'en parleras quand tu seras prête, Adeline, c'est tout.

Reconnaissante, Adeline l'embrassa sur la joue pour le remercier de sa compréhension.

Une demi-heure plus tard, les deux adolescents étaient arrivés sur la rue de la Vieille Forge, juste en face de l'entrée menant au centre hospitalier. Adeline aperçut une ambulance qui empruntait la voie aux urgences. Un spasme la saisit. Était-ce un mauvais présage ? Devant elle, Jacob s'arrêta, comme si un mur invisible lui barrait le chemin. Adeline vit les muscles de son visage se crisper. Jacob prit sa tête entre ses mains en geignant. L'adolescente pensa qu'il lui jouait un sale tour, comme celui de l'autre jour.

— Allez, Jacob, tu ne me la feras pas deux fois, celle-là ! lui lâcha-t-elle.

Mais Jacob ne riait pas. Il était maintenant plié en deux et semblait vraiment souffrir. Il se redressa enfin.

— Voilà, c'est terminé, la rassura-t-il. La douleur est partie.

Voyant l'air inquiet de la jeune femme, il s'approcha d'elle. Il déposa une main sur son bras pour lui chuchoter à l'oreille :

— Je n'ai rien de grave, Adeline. Un ange passait par là et m'a frappé le crâne avec sa massue…

Adeline le fixa, incertaine quant à l'attitude qu'elle devait adopter. Devait-elle rire ou non de la blague de Jacob ? Elle se posait toujours la question quand les deux amis entrèrent dans l'hôpital…

15

Une visite éclair

Adeline et Jacob s'informèrent au comptoir d'accueil. L'adolescente acheta une carte à la boutique de l'hôpital. Les deux jeunes durent emprunter l'escalier, car ce jour-là, les ascenseurs des visiteurs étaient en réparation. Ils devaient se rendre au cinquième étage, Daniel occupant la chambre 546.

Durant l'escalade, Jacob soufflait. Adeline lui prit la main, et lui confia, pleine de gratitude :

— Merci de m'accompagner. J'ai le cœur qui bat à la folie… Et si je me trompais ?

Le garçon haussa les épaules. Il préférait garder le silence et… son énergie. Des gouttes de sueur perlaient sur son front.

— Mon Dieu, Jacob. Tu es trempé ! Est-ce que ça va ?

— Oui, mais je pense que le manque de sommeil me rattrape…

Enfin arrivée au cinquième étage, Adeline ouvrit la porte de la cage d'escalier. Les adolescents prirent à droite pour longer un interminable corridor. Ils tournèrent ensuite à gauche et traversèrent une autre porte puis un second couloir dont les murs, peints en vert avec des motifs floraux jaunes et orange, exprimaient une gaieté estivale qui détonnait en cet endroit où la maladie et la souffrance étaient omniprésentes. Un frisson parcourut le dos de la jeune femme. Elle serra le bras de Jacob un peu plus contre elle, et le sentit trembloter sous ses doigts.

Adeline, de plus en plus troublée par la raison un peu absurde de cette visite, hasardait un œil curieux à l'intérieur des chambres devant lesquelles elle passait. Des chairs immobiles sous des draps étaient étendues sur des lits de métal. Elle ne voyait aucun visage. *J'espère que tu vas bien, Daniel…* Ses pulsations cognaient dans sa poitrine. Nerveuse, elle plongea une main dans sa poche pour toucher son améthyste.

Adeline et Jacob s'approchèrent d'un comptoir de service derrière lequel quatre ou cinq infirmières s'affairaient. Adeline se détacha de Jacob et déposa un coude sur le meuble blanc qui trônait au centre de l'espace.

— Bonjour, commença-t-elle.

Une dame à la chevelure grisonnante et au regard chaleureux se retourna et vint vers elle.

— Que puis-je faire pour toi, jeune fille ?

— Euh... Eh bien, j'aimerais voir monsieur Daniel Masson. Il est alité à la chambre 546.

— Daniel Masson ? Ah oui... Chambre 546, tu dis ? C'est au bout de ce couloir, en face de nous, dernière chambre à droite.

— Merci, madame, répondit Adeline qui reprit avec douceur le bras de Jacob pour l'entraîner dans le corridor.

Depuis qu'ils étaient arrivés au cinquième étage, Jacob n'avait pas articulé un seul mot. Il semblait encore s'être retranché dans son monde, derrière cette frontière si bien établie autour de lui. En chemin, Adeline l'espionnait du coin de l'œil. Sa mâchoire était tendue comme s'il serrait les dents. Mais qu'avait-il donc ? La réclusion de son ami la dérangeait. Elle détestait le voir se couper d'elle comme si elle n'était plus rien à ses yeux. Elle se sentait rejetée, et cela lui faisait mal. Ne devait-il pas être son complice dans cette affaire, n'était-il pas censé l'aider et la soutenir ? Elle lui en voulait... Puis soudain, une grande tristesse l'accabla. Cette même mélancolie qui surgissait parfois en elle, sans raison apparente. Mais pourquoi la ressentait-elle à ce moment précis, avec Jacob à ses côtés, si loin à l'intérieur de lui, et Daniel à proximité ? Elle avait envie de pleurer, mais se retint.

Jacob était blanc à faire peur. Paniquée, elle lui demanda :

— Jacob ? Qu'est-ce que tu as ?

Il se tourna vers elle, le regard creux et rougi. Il avait l'air d'un zombie tout droit sorti d'un film d'horreur.

— C'est juste que je réagis mal aux hôpitaux, lui répondit-il. Je n'aime pas être ici…

Pauvre Jacob ! se dit-elle. *Je ne connaissais pas cette facette de lui.* Tout à coup, la pierre se réchauffa dans sa main, de plus en plus, jusqu'à en devenir brûlante. Adeline la sortit discrètement de sa poche et se mit à la scruter de près. Dans sa paume, l'améthyste brillait comme un soleil miniature déployant ses petits rayons multicolores. La jeune femme en était certaine : un autre événement étrange allait se produire. Allait-elle avoir une vision atroce ? Sortirait-elle une fois de plus de son corps pour se projeter dans un temps reculé ? Elle l'ignorait. Par contre, elle savait qu'il devenait urgent de découvrir si Daniel était ou non l'auteur des lettres.

Émue, elle remit la pierre dans sa poche au moment où Jacob et elle arrivaient enfin à la chambre 546. Adeline lâcha le bras de son ami. Elle prit quelques instants pour écrire contre le mur un bref message dans la carte destinée à Daniel, puis entra la première.

Daniel dormait. Un bandage entourait sa tête. La pièce était sombre, les lumières fermées. De faibles rais lumineux encadraient la toile baissée de la fenêtre. Adeline s'approcha du lit sans bruit, lentement. Elle déposa sur la table de chevet la carte dans laquelle elle avait écrit : « Cher Daniel, je vous souhaite un bon rétablissement. Que cette épreuve vous rende encore plus fort. À bientôt. Adeline. » Puis elle observa longuement Daniel, oubliant son ami Jacob resté debout sur le seuil de la porte. Comment savoir si c'était réellement lui ? D'instinct, elle sortit la semi-précieuse et la glissa doucement sur les draps. Elle attendit… D'interminables minutes. En silence. Sans plus se soucier de Jacob. Et soudain, l'améthyste s'illumina. Au même moment, une incroyable émotion envahit Adeline. Ce n'était pas la peur ni la tristesse dont elle avait l'habitude, mais une forte passion amoureuse, démesurée, obsessionnelle. Elle avait l'impression que toutes les fibres de sa chair étaient reliées à celles de l'homme qui était couché devant elle.

Le temps d'un soupir, Adeline eut une autre vision. Sans toutefois sortir de son corps, elle vit la forme irréelle d'un visage d'Amérindien se superposer à celui de Daniel. Cet homme la dévorait de ses yeux de braise d'une profonde gravité. Ce regard, si intense, éveilla aussitôt une vive chaleur au creux de ses hanches. Cet être fantomatique la désirait, elle en avait la certitude. Il avait la peau basanée et un nez rappelant le bec d'un aigle. Il ne souriait pas. L'image disparut ensuite, laissant derrière elle le visage endormi de Daniel. Cette flamme qu'Adeline ressentait dans son corps s'estompa.

L'améthyste brillait encore sur le lit. La jeune femme fixa la pierre, espérant que l'objet lui permette de comprendre ce qui venait de se produire. Mais cette dernière perdit peu à peu sa lumière et reprit sa couleur mauve habituelle pour redevenir un simple porte-bonheur.

Secouée à l'extrême, Adeline demeura immobile. Qui avait-elle vu? Et pourquoi? L'esprit embrouillé, elle se sentait si seule pour affronter ces événements insolites...

L'adolescente se ressaisit un peu, prit l'améthyste et la remit dans sa poche. Elle caressa tendrement le bras de Daniel, effleurant du bout de ses doigts la douceur de sa peau. Même dans son sommeil, elle le trouvait extrêmement séduisant...

Encore perturbée par ce qu'elle venait de vivre, Adeline se retourna pour accrocher le regard de son ami et lui demander s'il avait aussi vu l'Amérindien, mais l'adolescente ne rencontra que le vide : Jacob n'était plus là...

16

La balade des confessions

Promptement, Adeline se releva et quitta la chambre.

Jacob l'attendait en bas, à l'extérieur de l'établissement. Il fumait une cigarette. Adeline se précipita vers lui.

— Jacob ! lui cria-t-elle. Je ne t'ai pas entendu partir.

Il aspira une dernière bouffée et écrasa son mégot dans le cendrier situé entre Adeline et lui, en soutenant le regard de sa copine.

— Il fallait que je sorte au plus vite, la rassura-t-il d'une faible voix. Je n'étais plus capable de sentir l'odeur de l'hôpital. Les hôpitaux et moi, tu sais… ça ne fait pas bon ménage.

Adeline fronça les sourcils.

— Je ne te crois pas ! Tu l'as vu, toi aussi, hein ?

Jacob écarquilla les yeux.

— Daniel ? Oui, je l'ai vu, comme toi…

— Non, pas Daniel, l'Amérindien.

Jacob pouffa.

— L'Amérindien ! Mais qu'est-ce que tu racontes, Adeline ? Il n'y avait que toi, moi et le professeur de français dans la chambre. Pas d'Amérindien.

Adeline soupira en sortant l'améthyste.

— C'est elle, la cause…, lui confia la jeune femme. Viens, suis-moi. Il faut absolument que je te raconte ce qui m'arrive…

Arpentant l'immense parc qui longeait la rivière, la jeune femme exposa à Jacob, durant le reste de la matinée, tout ce que lui faisait subir l'améthyste dernièrement. Le garçon l'écoutait, arborant parfois un air incrédule, surtout quand elle expliquait ses voyages hors du corps, mais par respect pour son amie, il gardait le silence.

Les deux adolescents s'arrêtèrent enfin sous un chêne centenaire.

— Est-ce que tu crois que je suis folle ?

— Disons que ça me semble assez improbable…, lui avoua Jacob en tirant sur une feuille rouge de l'arbre.

Adeline le vit écrabouiller la feuille dans sa main puis jeter les morceaux au vent.

— Admettons que ce que tu me dis est vrai, ajouta-t-il. Pourquoi alors vivrais-tu tout ça ?

— Je crois que l'améthyste tente de me communiquer une information, répondit l'adolescente, fixant les hauts peupliers qui surplombaient le cours d'eau.

Pendant un instant, la jeune femme fut hypnotisée par la vue des dernières feuilles attachées solidement aux branches, qui tourbillonnaient sur elles-mêmes. Ce détail automnal la troubla. Intriguée, elle se demanda pourquoi elle remarquait si souvent cette particularité de la nature. Il lui semblait que les arbres, comme l'améthyste, voulaient lui transmettre un message. Adeline prit alors conscience qu'elle s'était peut-être aussi opiniâtrement attachée à quelque chose, comme l'étaient les feuilles aux branches. Elle se tourna vers Jacob.

— Je crois que je me suis trompée sur l'identité de l'auteur de mes lettres..., admit-elle, espérant toutefois ne pas avoir raison.

Adeline doutait terriblement, mais elle était incapable de se défaire de son entichement envers Daniel. Cet homme lui plaisait trop pour qu'elle pense pouvoir aimer un autre garçon.

Silencieux, Jacob haussa les épaules pour ensuite guider Adeline sur le sentier s'étirant le long du cours d'eau.

Ils marchaient ainsi depuis déjà plusieurs minutes quand Adeline eut un choc. Elle s'arrêta net. Elle venait d'apercevoir le seul et unique pont de la ville. Ce pont, elle le voyait pratiquement tous les jours, mais cette fois, il paraissait différent. Était-il le monstre de fer qu'elle ne cessait de voir dans ses rêves?

— Qu'est-ce que tu as? s'enquit Jacob.

— Le pont... C'est celui de mes rêves... Daniel va se jeter en bas du pont, j'en suis certaine.

Elle se détacha de son ami.

— J'ai peur, Jacob! Je ne sais plus quoi faire. Il faut que je le sauve ...

Voyant son air sceptique, Adeline saisit les deux bras de son ami.

— Tu crois que je disjoncte, hein?

— Un peu..., répondit-il, arborant un sourire en coin. Mais je suis là pour prendre soin de toi. Tu traverses sûrement une mauvaise passe, Adeline. Ne t'en fais pas, ça arrive à tout le monde, même à moi...

Il s'approcha d'elle pour la réconforter dans ses bras.

— Non, Jacob!

Adeline recula d'un pas, les mains sur les hanches, le regard allumé.

— Je comprends que ce que je t'ai raconté peut te paraître étrange, mais la fille qui est devant toi n'est pas folle. Je n'ai rien inventé, Jacob. J'ai vécu tout ça ! Je ne délire pas !

— D'accord, Adeline. Ça va..., tenta-t-il de la rassurer en prenant un ton empathique.

Jacob restait cependant peu convaincu et désemparé face à ces révélations. Ne sachant pas trop quoi faire pour aider son amie, il l'invita à dîner au snack-bar du coin pour lui changer les idées.

Ce midi-là, Adeline semblait manger ses émotions. Elle dévora trois hot-dogs, tandis que Jacob grignotait un biscuit au chocolat.

— Tu n'as pas faim ? lui demanda-t-elle.

Jacob afficha un drôle d'air.

— J'ai mal au cœur, répondit-il, le teint blafard. C'est peut-être les vestiges de ma « nuit de rêve » !

— Oui, probablement, marmonna Adeline.

Pendant le reste de l'après-midi, ils déambulèrent dans les vieilles rues de la ville. Jacob chercha à faire rire Adeline avec ses histoires à se plier en deux. Il incarnait les personnages qui auraient pu vivre dans ces maisons ancestrales, et leur inventait des aventures rocambolesques et farfelues. Mais la jeune femme n'avait pas le cœur à rire.

L'image du pont et de l'Amérindien l'obsédaient. Elle s'inquiétait aussi pour son ami qui, malgré la bonne humeur qu'il affichait, n'avait pas l'air en forme.

— Merci, Jacob, pour ce que tu essaies de faire, lui dit-elle. Je dois avouer que tu es très bon acteur. Si tu le voulais, tu pourrais devenir un excellent comédien.

— Peut-être...

Vers seize heures, il la raccompagna jusqu'à sa porte. Il lui donna une bise sur la joue avant de s'éloigner d'elle, encore perdu dans son pantalon trop large.

17

Deadbridge

Après le souper, Adeline termina ses travaux au son de la musique de Vivaldi qui tonnait dans la chambre de ses parents. Depuis quelque temps, sa mère chantait et fredonnait à longueur de journée les mélodies de ces concertos, comme si elle vivait en symbiose avec elles. Le concerto en fa majeur, son préféré, intitulé « L'automne », pouvait jouer au moins cinq fois par jour. Adeline soupira et enfouit une main dans ses cheveux. De l'autre, elle chercha sans succès, dans le tiroir de son bureau, une minuscule boîte de plastique transparente dans laquelle reposaient deux bouchons de cire.

Une montée de violon lui parvint aux oreilles.

— Nooooon !

Exaspérée, elle plaqua ses deux mains sur sa tête et affaissa les épaules. Comment sa mère pouvait-elle écouter cette musique sans arrêt ? *Je n'en peux plus !*

Adeline et son père, après une semaine de cette imposition musicale, éprouvaient une sérieuse indigestion auditive. Afin de ne pas sombrer dans la folie, ils avaient décidé d'obturer leurs oreilles avec de petites boules de cire.

— Mais où sont-ils, ces satanés bouchons ?

L'adolescente farfouillait dans son tiroir comme si sa survie psychologique en dépendait…

Le calme était enfin revenu dans la maison depuis une heure. Les violons s'étaient tus, faisant place à un silence qu'Adeline appréciait et grâce auquel elle pouvait se concentrer pour continuer ses devoirs. Mais à vingt et une heure quarante-cinq, le téléphone retentit, mettant fin à cette tranquillité.

— Je réponds ! lança Ève de l'autre pièce.

D'instinct, Adeline se leva, prit l'améthyste dans sa main droite et se mut vers la porte. Elle l'ouvrit et tendit l'oreille.

— Non, Josia, Jacob n'est pas ici, disait la voix de sa mère.

— …

— Oui, il a passé la journée avec Adeline. Et elle est revenue en fin d'après-midi...

— ...

— Comment? Oui! Attends une minute, je vais le lui demander.

Adeline entendit les pas de sa mère se rapprocher. Elle referma la porte et se rassit à sa table de travail, un crayon à la main.

Dix secondes plus tard...

— C'est Josia au téléphone, lui annonça sa mère, debout sur le seuil. Jacob n'est pas rentré. Aurais-tu une idée de l'endroit où il peut être? Tu connais Josia, elle s'inquiète toujours.

Adeline la regarda en mâchonnant son crayon.

— Il est peut-être chez Marco. A-t-elle appelé chez lui?

— Je ne sais pas. Je vérifie auprès d'elle.

L'adolescente talonna sa mère jusque dans la cuisine. Elle éprouvait un certain malaise. Sa pierre, toujours dans la main droite, se réchauffa de nouveau. Adeline sentit la chaleur longer ses doigts jusqu'au bout des ongles. Un tremblement la saisit. *Jacob doit être chez Marco,* se persuada-t-elle. *Ça ne peut être que ça!* Après leur promenade, il avait sûrement décidé d'aller faire un tour. Et là-bas, il n'aura pas vu le temps filer. Marco et lui pouvaient passer des heures ensemble à écouter de la musique en jouant au hockey sur table ou au ping-pong, à visionner un film d'action ou à démonter de vieilles bagnoles.

Ève empoigna le combiné.

— Josia ? Adeline croit qu'il pourrait être chez Marco. As-tu essayé de le joindre là ?

— …

— Alors, tu essaies et s'il n'y est pas, tu nous téléphones. D'accord ? Sinon, je comprendrai que tout est beau. Tu n'auras pas besoin de nous rappeler. Ça te va ?

— …

— Et… calme-toi, tu n'as pas à t'inquiéter. Jacob est un grand garçon et presque un homme.

— …

— Oui, oui. Je sais, dit-elle en lançant un œil furtif vers sa fille. Bye !

Elle raccrocha puis se tourna vers Adeline. L'adolescente perçut dans le regard de sa mère un éclat de tristesse qui s'éteignit quand Ève déposa une main sur son ventre en souriant.

— On patiente dix minutes, déclara-t-elle avant de s'installer à la table près de sa fille.

Doucement, Ève glissa un doigt dans la tignasse d'Adeline et rencontra un nœud.

— Aïe !

— Attends, ma chérie. Je vais démêler cette chevelure, comme quand tu étais petite.

Te souviens-tu ? Je pouvais passer des heures à te jouer dans les cheveux pendant que tu coiffais tes poupées ! Ça te tente ?

Adeline esquissa un sourire forcé. Ça ne lui tentait pas vraiment. Mais depuis que sa mère était enceinte, il fallait la prendre avec délicatesse sans trop la contrarier, car elle avait de drôles de réactions. Ève partit donc dans la salle de bains et revint avec une brosse.

À vingt-deux heures dix, le téléphone était toujours silencieux. L'adolescente regarda sa mère, qui se leva en bâillant.

— Je crois qu'on n'a plus à s'inquiéter, maintenant. Tu avais raison, ma chouette. Allez, il est tard, c'est l'heure de se coucher.

Elle tendit la main à sa fille, et toutes deux se dirigèrent vers leur chambre.

Cette nuit-là, Adeline se réveilla en sursaut, la crinière en broussaille. Elle avait crié le nom de Jacob. Trempée de sueur, elle prit une profonde inspiration et regarda tout autour. Il faisait noir. Son radio-réveil affichait deux heures du matin. Le vent soufflait sur la maison à en faire craquer les murs.

Le souvenir de son rêve flottait encore dans sa tête. Elle étira un bras vers sa gauche, alluma sa lampe et sortit le cahier dans lequel elle colligeait ses songes. La main tremblante d'émotion, elle gribouilla ces phrases :

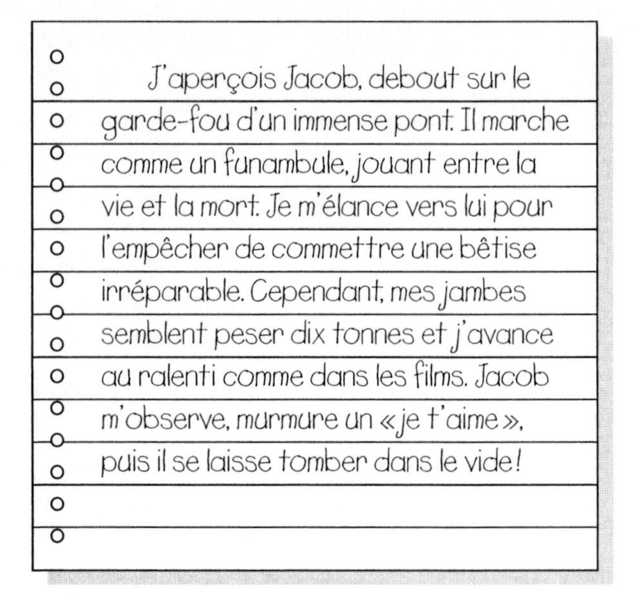
J'aperçois Jacob, debout sur le garde-fou d'un immense pont. Il marche comme un funambule, jouant entre la vie et la mort. Je m'élance vers lui pour l'empêcher de commettre une bêtise irréparable. Cependant, mes jambes semblent peser dix tonnes et j'avance au ralenti comme dans les films. Jacob m'observe, murmure un « je t'aime », puis il se laisse tomber dans le vide!

Non, c'est impossible! se dit Adeline. Elle lança son cahier dans le tiroir ouvert. Les mains entortillées l'une dans l'autre, l'adolescente se mordilla la lèvre inférieure. Ses pensées tumultueuses se bousculaient dans sa tête. Cela ne devait être qu'un rêve, qu'un simple rêve! Jacob devait sûrement être chez lui et dormir bien au chaud dans son lit. Adeline l'espérait de tout son cœur. L'adolescente trembla, incertaine de pouvoir accepter la réelle signification de ce cauchemar. Des gouttes perlaient sur son front. Elle s'essuya avec la manche de son pyjama.

Son regard se tourna vers sa pierre posée sur la table de chevet. L'améthyste brillait d'une lumière éclatante encore plus vive que les fois précédentes. À la vue de ce petit astre de feu irradiant de toute sa splendeur, la jeune femme reçut à l'intérieur d'elle un choc, comme une douche froide, glaciale. Dans sa tête, tous les morceaux du *puzzle* s'étaient mis en place pour former une image douloureuse. Comment avait-elle pu ne pas comprendre plus tôt ? Adeline s'en voulut à mort.

Il n'y avait plus une seconde à perdre. L'adolescente sauta hors du lit à toute vitesse. Elle enfila ses vêtements de la veille, prit la pierre pour la glisser dans sa poche, puis sortit de sa chambre en trombe. Elle attrapa les clés de l'auto de son père.

Adeline roula vers le seul pont en ville, le Deadbridge. *Deadbridge ! Tu parles d'un nom à donner à un pont !* pensa-t-elle, horrifiée. Avait-on voulu jeter un sort à ce pont pour que la mort rôde sur les berges de la rivière tel un sinistre fantôme qui inviterait et obnubilerait l'esprit des passants ?

Adeline pestait contre ce nom qui ne présageait rien de bon.

Dans l'urgence, elle brûla quatre feux rouges et cinq arrêts. Le monstre de fer lui semblait si loin. Le souffle court, elle enfonçait le pied sur l'accélérateur. Elle roulait à toute allure. *Une chance que les rues sont désertes, la nuit!*

À mi-chemin, le moteur toussota et s'arrêta. Adeline jeta un rapide coup d'œil à l'indicateur d'essence. L'aiguille pointait dans la zone rouge. Mâchoire tendue, Adeline écrasa la pédale d'accélération. Aucun son. Rien.

— Nooon!

La jeune femme réussit tout de même à garer la voiture sur le côté. Elle en descendit et se mit à courir. Elle se trouvait à dix minutes du pont en auto, mais au pas de course, combien de temps lui faudrait-il pour l'atteindre? Ce serait sûrement trop long. Peut-être était-il déjà trop tard? À cette pensée, Adeline s'affola pour de bon.

— Non! Je ne veux pas! Je ne veux pas! hurlait-elle, haletante.

Elle traversait les rues, aveuglée par une scène qui se jouait dans son esprit. Elle grimaça. C'était atroce! À tout prix, elle devait empêcher Jacob de sauter, de se tuer... Elle repensa alors à sa première vision, dans laquelle elle courait à perdre haleine dans la vallée en direction de ce corps pendu au bout d'une corde. Adeline était sidérée par la similarité entre cette affreuse image et ce qu'elle était appelée à vivre. La situation, même si le contexte différait, était la même!

— Nooon ! Jacob, ne fais pas ça ! Je t'en prie..., suppliait-elle.

Adeline évaluait qu'elle était maintenant à environ cinq minutes du pont. Elle soufflait comme si elle avait joué une quinzaine de matchs de squash sans interruption.

Soudain, elle s'étala de tout son long sur le sol. Une terrible douleur élançait dans sa cheville droite et dans les paumes de ses mains.

— Il fallait bien que ça m'arrive, ça !

Son pied s'était tordu dans un trou au milieu du trottoir. Adeline se releva avec peine. Elle vit son améthyste à quelques mètres plus loin, sur le ciment. Elle la ramassa avant de se remettre à clopiner le plus vite possible...

Le vent s'était calmé pour céder la place à un épais brouillard qui empêchait la jeune femme de voir à plus de trois mètres devant elle, signe qu'elle devait s'approcher de la rivière.

Complètement épuisée, Adeline aperçut enfin le monstre de fer lorsqu'elle arriva à sa hauteur. La voiture verte de la mère de Jacob était stationnée sur la voie de droite. Un frisson saisit Adeline.

— Mon Dieu, non ! Faites que je n'arrive pas trop tard ! Faites que je n'arrive pas trop tard !

Malgré la douleur à sa cheville, Adeline se remit à sprinter. Elle laissa tomber la pierre dans sa poche puis s'élança sur le Deadbridge, avec l'amère impression d'avoir déjà vécu tout ça…

— Jacob ! Jacob ! Ne fais pas ça ! Je t'en prie ! cria-t-elle dans le brouillard. Je suis là ! Jacob ! Je sais tout ! Je sais tout, tu m'entends ?

Mais la brume semblait étouffer sa voix.

— Ne fais pas cela ! Je ne veux pas te perdre. Je t'en prie ! Je suis là ! JACOOOOB !

Elle repéra une ombre foncée dans le brouillard. Des pleurs parvenaient à ses oreilles. Adeline souhaitait que ce soit Jacob et non un spectateur, témoin d'un terrible drame…

L'adolescente galopait, la cheville en feu, puis s'arrêta net. Il était là, courbé, la tête appuyée sur une poutrelle de fer, le corps secoué par de bruyants sanglots. Elle soupira. Il était encore vivant ! Elle s'approcha de lui en boitant et en cherchant son air. Avec délicatesse, elle posa une main sur son dos, sans trop savoir comment il allait réagir. Il se retourna et la regarda droit dans les yeux.

— Je suis un lâche ! lui lança-t-il au visage, pas du tout surpris de la voir là. Un lâche ! Je n'ai même pas eu le courage de sauter. J'ai entendu ta voix…

— Non, au contraire, Jacob, tu es courageux. Tu t'accroches à la vie...

Les pupilles du jeune homme s'embrasèrent.

— Adeline, je t'aime d'un amour puissant mais impossible ! Si tu savais...

Il s'empara de la main droite de la jeune femme, la porta à sa joue. Ses larmes mouillèrent les doigts d'Adeline qui en frémit.

— Ces pleurs sont pour toi, lui confia-t-il en embrassant son pouce, puis son index. Adeline... Je vais mourir. J'ai une tumeur au cerveau, en stade avancé. C'est ça, le monstre, entends-tu ? Et le médecin a dit qu'on ne pouvait rien faire, qu'il était trop tard. La masse est maintenant logée dans une région de ma tête que même le plus expert des chirurgiens ne peut atteindre sans endommager le reste. Mes chances de survie sont nulles ! J'ai peur, si tu savais ! Je ne mange plus, je vomis presque tous les jours et parfois je ne sens plus mon bras droit, comme s'il se désintégrait. La nuit, je me lève, brûlant de fièvre, le cœur battant à toute vitesse, avec cette pression dans la tête qui devient de plus en plus insupportable... Je prends des tonnes de médicaments. Je n'en peux plus ! Et toi, qui es là...

Il la contempla quelques instants.

— Je t'aime tant...

Il éclata de plus belle en sanglots dans les bras de la jeune femme. Adeline le serra contre elle pendant de longues minutes. La chaleur du corps de Jacob se répandait sur le sien. Émue, elle lui caressa le dos, incapable de prononcer un seul mot. Jacob souffrait tant et sa douleur lui était intolérable. L'adolescente avait mal, elle aussi. Une boule se logea dans sa gorge et un feu brûlait dans son plexus. Elle sentit des larmes glisser sur ses joues.

Les yeux embrouillés et complètement chavirée, Adeline fixait l'horizon derrière Jacob quand un mouvement étrange attira son attention. Quelque chose bougeait dans la brume. C'était vague, mais en poussant son regard plus loin, elle vit de fines particules lumineuses en suspension qui tournoyaient et s'agitaient vivement. Ces dernières provenaient du ciel et ressemblaient à celles qu'elle voyait au moment où elle sortait de son corps. Les particules descendirent, puis formèrent un nuage qui se dirigeait vers eux. On aurait dit un essaim de lucioles qui approchait à toute allure. Cette lumière mouvante s'immobilisa enfin au-dessus des jeunes pour les envelopper totalement.

Sous ce manteau resplendissant, Adeline entendit le « POC ! » qui annonçait habituellement qu'elle quittait son corps, mais ce n'est pas ce qui se produisit. La vision, cette fois, se déroula à l'intérieur d'elle. Les yeux clos, la jeune femme aperçut devant elle une gigantesque fenêtre qui s'ouvrait sur un paysage ancien. Un tintement de cloches d'église s'échappait au loin.

Une maison construite en bois rond, sur le bord d'une rivière, lui fit penser à celles qu'elle avait vues dans le film *Nouvelle France*. Un homme au torse nu sciait des rondins de cèdre, aidé d'un garçon qui semblait être son fils : ils avaient tous les deux le même nez, la même bouche et une chevelure noire et bouclée. Une femme assez grande, à la tignasse dorée, secouait de larges pans de tissus à l'entrée de la demeure. La femme les observait, un sourire aux lèvres. Elle portait une robe beige. Le petit garçon avait les mêmes yeux bleus que la dame. *Elle doit sûrement être sa mère.*

Soudain l'image changea, comme dans un film.

L'action se passait maintenant à l'intérieur. Un gaillard était allongé sur un lit de fortune installé devant un foyer. Une dame, qui avait la même crinière que la première, était assise à une table, le regard rivé sur l'homme. Elle discutait avec la femme de la vision précédente.

— Madeleine ! Il faut agir au plus vite, dit-elle. Germain est gravement malade.

Laisse-moi le petit pour un temps et va rencontrer la vieille Blanche. Cette squaw connaît les secrets de la guérison. Attelle le chariot et pars sur-le-champ. C'est la vie de ton homme qui en dépend. Sois sans crainte, je m'occuperai de tout, ici.

Madeleine déposa une main sur celles de l'autre femme qui semblait être sa sœur, et déclara, le regard triste :

— Tu as raison…

D'autres images défilèrent sous les paupières d'Adeline.

Un village amérindien s'élevait à l'orée d'une forêt située près d'une immense étendue d'eau. Les feuilles des arbres rougeoyaient. C'était l'automne. Germain était couché dans un tipi installé en retrait sous un énorme sapin, la guérisseuse à son chevet. Il crachait du sang et son corps était amaigri. À sa vue, une pression familière se fit sentir dans la poitrine d'Adeline. Elle inspira profondément, puis elle vit Madeleine qui marchait près de la grève, en bordure des arbres, avec une lenteur qui en disait long sur ses états d'âme.

Soudain, le tintement de cloches d'église s'intensifia dans la tête d'Adeline. Il résonnait et résonnait, comme si elle se trouvait au sommet du clocher. Puis la scène disparut sous une clarté orange éblouissante. Des franges de lumières blanches et orange ondulaient tels des voiles entremêlés de danseuses arabes. *Mais qu'est-ce qui m'arrive encore ? Toutes ces bizarreries n'arrêteront-elles jamais ?* Adeline avait envie de pleurer. Une douleur atroce l'assaillait. *J'ai froid aux mains.* Le vent s'était levé. *J'ai mal aux pieds.* Elle inspira l'air pour se calmer. Une odeur de feuilles mortes lui pinça le nez, comme si elle était en plein cœur d'une forêt lors d'une journée d'automne. Un « plouf » retentit à sa droite. Adeline tourna la tête. Un lac s'étendait à ses pieds, entouré d'arbres. Des ondes roulaient sur la surface de l'eau. Quelqu'un avait dû lancer un caillou.

Adeline eut l'étrange impression de ne plus faire qu'un avec Madeleine…

Je me sens complètement abattue. Mon époux se meurt à petit feu et je ne sais plus du tout quoi faire. Des feuilles multicolores s'échappaient des érables qui longeaient le lac. Une brise mordante surprit Madeleine et propulsa ces feuilles en tourbillon autour d'elle. Ce courant d'air, qui dégageait une odeur de résine, s'infiltra sous les vêtements de la femme et la glaça jusqu'aux os. Elle frissonna. D'un geste vif, elle camoufla ses mains à l'intérieur de ses manches sales et élimées. Madeleine soupira, chagrinée. *Que vais-je devenir sans lui ?*

Sans avertissement, une paire de bras robustes l'entoura avec délicatesse et fermeté. La femme esseulée s'immobilisa. Une douce chaleur se répandit dans son dos. *Qui peut bien se tenir là, derrière moi ? Le lanceur de cailloux ?* Une respiration lente et profonde soufflait sur son oreille gauche. Intriguée, Madeleine se retourna et vit des pupilles noires. L'homme avait un visage allongé et un nez en forme de bec d'aigle. Sa présence l'intimidait fortement.

Madeleine l'avait aperçu à quelques reprises depuis son arrivée au village. Chaque fois, l'intensité de ses yeux était tombée sur elle, et chaque fois, elle s'était mordu la lèvre, le feu au ventre. *Mais pourquoi donc cet Indien me fait-il cet effet ? Surtout en ces tristes moments de ma vie ?* Madeleine avait honte de ressentir ces émois dans son corps tandis que Germain s'évertuait, jour après jour, à échapper à une fin inéluctable.

Elle se sentait si abandonnée et terriblement désespérée. Profitant de sa vulnérabilité, l'homme au teint hâlé l'embrassa. Ce fut plus fort qu'elle, Madeleine succomba à cette passion sauvage qui envahissait son sang, et l'embrassa à son tour. Ils firent l'amour, là, sur le sol, en silence, avec fougue.

18

Adeline, porteuse de l'améthyste

Le clapotis de l'eau chatouilla l'oreille d'Adeline. Ce son dansait avec le roucoulement d'un pigeon. La jeune femme entendit de nouveau les pleurs de Jacob, toujours lové au creux de ses bras. Elle frémit.

Qu'avait-elle vu, au juste ? Troublée, l'adolescente glissa une main dans sa poche et sortit l'améthyste. La pierre, comme par enchantement, s'échappa de ses doigts pour s'élever dans les airs, illuminant de plus en plus, prenant la forme d'un ballon ensoleillé.

Autour des jeunes, le temps paraissait s'être arrêté. Jacob demeurait immobile, et semblait appartenir à une autre dimension que celle d'Adeline. Cette dernière avait l'étrange impression, sans même se mouvoir d'un centimètre, de traverser une frontière. Comme si elle émergeait d'un univers pour entrer dans un autre. Adeline tourna la tête dans toutes les directions. Les objets étaient les mêmes. Inquiète, la jeune femme constata qu'elle pouvait percevoir l'immatérialité des choses. La matière des objets bougeait, comme si les atomes des poutrelles du pont, des vêtements de Jacob, du parapet ou du ciment tournoyaient à une très grande vitesse, donnant à l'œil l'illusion de leur perméabilité. Était-ce possible ? Adeline inspira profondément et ferma les yeux quelques instants. Dans quel espace se trouvait-elle ? Elle était incapable de se l'imaginer. L'adolescente rouvrit les paupières et scruta avec attention la pierre métamorphosée, cherchant une explication à ce phénomène. Soudain, les rayons lumineux de l'améthyste s'intensifièrent, tel un gisement de plasma fluorescent en ébullition. Adeline était subjuguée par le tableau.

C'est alors qu'au centre de cette luminosité, un petit point noir surgit. Il grossissait de plus en plus pour enfin prendre la forme d'un homme marchant vers Adeline. Plus il progressait, plus les traits de son visage se précisaient. L'adolescente le reconnut : c'était Geunam.

L'homme s'éjecta de la lumière pour ensuite se tenir là, debout devant elle et Jacob. Adeline baissa la tête et remarqua les orteils velus et droits qui sortaient des sandales dorées de Geunam. Elle esquissa un sourire.

Puis, comme une bouffée d'air frais que l'on respire après avoir passé un long moment dans une chambre poussiéreuse, un souffle d'espoir envahit la jeune femme. Cet homme allait-il enfin lui dévoiler le secret de l'améthyste ? Une onde invisible la traversa, une caresse, un soupir. Une ondulation de l'air comme celles qu'elle avait senties, l'autre jour, au cours de sa vision sur le bord de la mer. À cet instant, un arôme subtil de fleurs des champs s'immisça dans ses narines. Geunam s'approcha d'elle, la tête légèrement penchée vers l'avant.

— Bonjour, Adeline, porteuse de l'améthyste.

Adeline se détacha de Jacob, qui demeurait immobile, comme une statue. Elle s'avança vers Geunam dans l'intention de lui poser toutes les questions qui lui venaient en tête. Elle remarqua le symbole habituel dessiné sur le front de Geunam, et les plumes qui s'élevaient derrière sa tête. Décidée à tout mettre au clair, elle lui demanda :

— Allez-vous enfin m'expliquer ce qui m'arrive ? Que me veut l'améthyste ? Le savez-vous ?

Geunam toucha son collier de pierres mauves avant de lui répondre de sa voix feutrée :

— Comme tu le sais, Adeline, je suis un habitant du vaste continent Mu, englouti depuis plusieurs milliers d'années. Et ma pierre est maintenant la tienne. Je l'ai trouvée dans la région sud de nos terres, lors de mon vivant...

— De votre vivant ! l'interrompit Adeline, taraudée par une autre question. Alors si vous ne vivez plus, vous êtes quoi, en ce moment ? Un fantôme ? Un revenant ? Et où sommes-nous ?

Geunam posa un regard doux sur la jeune femme qui s'impatientait.

— Adeline, l'endroit où nous sommes s'appelle l'Antre. C'est un lieu de rencontre entre les humains et les habitants des mondes intérieurs. L'améthyste a élevé les vibrations autour de toi pour me permettre de venir te voir et te parler. Je ne vis plus dans un corps physique, mais je vis toujours, sous une forme différente, dans une dimension parallèle à la tienne encore inconnue de l'homme.

— Oui, mais pourquoi l'améthyste agit-elle dans ma vie ? le pressa Adeline, rongée par la curiosité.

— J'y arrive... Lorsque je vivais sur Mu, continua-t-il, j'étais un scientifique qui travaillait sur les gemmes. J'ai fait d'innombrables manipulations sur les pierres, et plus particulièrement sur les améthystes. La science du peuple de Mu était beaucoup plus avancée que celle d'aujourd'hui. À cette époque, nous utilisions les pouvoirs cosmiques pour accomplir diverses tâches.

Adeline leva un doigt, car elle voulait encore parler. Geunam hocha la tête en signe d'approbation.

— Ce que vous racontez, je l'ai lu dans un livre qui traite du continent Mu.

— Bien, tu as fait tes recherches…

Geunam recula d'un pas avant de se retourner. Il prit dans sa main l'améthyste, qui flottait toujours dans les airs.

— Avec les années, enchaîna-t-il, tenant la pierre sous les yeux de la jeune femme, j'ai découvert que la vibration, la chaleur et la lumière de cette semi-précieuse exerçaient un pouvoir sur moi. Ces trois éléments, je ne sais pas encore comment, permettent à l'*Amya* de se dégager de son enveloppe corporelle. Ainsi, mon *Amya*, libérée de mon corps physique, pouvait ensuite traverser les frontières du temps et devenir témoin d'une scène du passé ou du futur…

— C'est en plein ce que je vis ! s'exclama Adeline, l'interrompant de nouveau. Est-ce…

Une autre question se précipitait hors de ses lèvres, mais la jeune femme la retint, intimidée par Geunam qui plantait ses yeux dans les siens. Cet homme la sondait en profondeur, décodant son âme, la décortiquant comme un fruit. Mais l'adolescente n'avait pas peur, car dans le regard de Geunam brûlait une flamme chaleureuse et aimante.

Le scientifique poursuivit :

— Au début, je ne savais pas vraiment ce qui m'arrivait, un peu comme toi actuellement. Mais avec le temps, j'ai constaté que la pierre agissait sur moi lorsque je me trouvais à une croisée de chemins, quand j'avais certains choix importants à faire. Ces choix, du moins en ce qui me concerne, touchaient mes relations avec les autres. J'ai alors pris conscience que la pierre me guidait, comme si elle était pourvue d'une intelligence. Son pouvoir consistait à me montrer des scènes du passé ou du futur en lien étroit avec ce que je vivais dans le présent. Souvent, les scènes du passé représentaient une situation semblable à celle que je vivais. Quant aux scénarios du futur, ils m'avertissaient de ce qu'il pourrait advenir si je maintenais le *statu quo* dans ma vie. Ainsi, l'améthyste m'éclairait sur les attitudes à avoir envers moi-même et envers les gens que je côtoyais dans mon quotidien.

L'améthyste, qui illuminait au centre des mains de Geunam, s'éleva dans les airs pour flotter ensuite au-dessus d'eux. Adeline l'observait, intriguée, en se demandant si cette pierre jouait avec elle le même rôle qu'avec Geunam.

— Plusieurs années ont passé, reprit le scientifique, avant que je comprenne le sens caché de mes expériences et que je commence à travailler de concert avec l'améthyste. Après quoi, cette semi-précieuse est devenue comme une sorte de fenêtre temporelle que je pouvais utiliser pour mieux orienter ma vie, un peu à l'image d'une boussole ! Tu comprends ?

— L'améthyste agirait donc dans le même but avec moi ? avança Adeline, qui soutenait les yeux de Geunam.

Le regard à la fois sombre et lumineux de l'homme s'arrêta sur la jeune femme. Adeline sentit une onde invisible la traverser. Elle en était certaine, cette onde, comme les précédentes, provenait de lui.

— Aurais-tu un choix déchirant à faire ?

À cette question, l'image de feuilles d'automne se détachant des arbres surgit dans la tête d'Adeline. Cette vision la fit penser à Daniel et à son obsession pour lui. Adeline aurait tant aimé que Daniel soit l'auteur de ses lettres… Il était l'homme de ses rêves. Mais c'était Jacob qui les lui avait écrites, et non Daniel. *Jacob, mon meilleur ami, depuis toujours…*

Elle soupira.

— Je crois que oui.

Adeline lui demanda si la pierre était en mesure de lui indiquer si elle commettait une erreur dans ses choix amoureux.

— C'est possible, répondit Geunam. L'améthyste a le merveilleux pouvoir de s'ajuster à son porteur. Elle lui fait vivre ce dont il a besoin pour grandir et pour clarifier ses sentiments.

Poussée par une impulsion naturelle, Adeline s'approcha de Jacob, qui était toujours immobile. Une larme était figée sur sa joue. En voyant cette perle, le cœur de l'adolescente chavira. Elle se tourna vers Geunam.

— Est-ce que j'ai vécu tout ça pour lui ?

Geunam inclina la tête vers l'avant.

— La réponse se trouve en toi, Adeline.

Profondément émue, la jeune femme reprit la position où elle était avant de se détacher de Jacob, se demandant si, un jour, elle serait capable de l'aimer d'amour. Il était son meilleur ami depuis tellement d'années. Et physiquement, il était loin de lui plaire autant que Daniel... *Mais,* se ravisa-t-elle aussitôt, *les lettres de Jacob ont su éveiller l'amour dans mon cœur. C'est de lui dont je suis réellement amoureuse, et non de Daniel, comme je le croyais...*

Interrompant ses pensées, Geunam déposa une main sur l'épaule de l'adolescente.

— À présent, je dois partir, mais je reviendrai. À l'avenir, lorsque tu humeras une odeur de fleurs des champs, tu sauras que c'est moi. Tu n'auras qu'à regarder à l'intérieur de l'améthyste et tu m'y verras. À bientôt…

Avec lenteur, l'homme se retira dans la lumière de l'améthyste, qui s'était approchée de lui. La pierre étincelante l'avala aussitôt.

Sur le pont régnait un étrange silence. L'arôme délicat de fleurs des champs se dissipa. La pierre mauve perdit peu à peu sa luminosité et retomba en douceur dans les mains de l'adolescente.

Jacob se remit à bouger, sanglotant dans les bras de la jeune femme. Une brise effleura leurs visages. Adeline sentit les larmes de son ami inonder son chandail. Émue, elle glissa doucement sa main dans le dos de Jacob, sans dire mot. La crinière échevelée de son ami se mêlait à ses propres cheveux et lui chatouillait la joue. Un flot de tendresse infinie submergea la jeune femme. Comme elle était bien si près de lui ! Le brouillard autour d'eux se volatilisa pour laisser place à un ciel troué d'étoiles opalines. Un effluve marin monta de la rivière et les enveloppa. Au même moment, un chaland suivant son cours illumina Adeline et Jacob au passage. Dans cette clarté, les deux adolescents ressemblaient à une statue d'amoureux, érigée sur le pont, pour le plaisir des passants.

19

L'heure de vérité

Adeline appuya sa tête contre celle de Jacob. D'autres pleurs noyaient ses joues sans qu'elle puisse les retenir. Une chaleur inondait sa poitrine depuis quelques minutes. C'était comme si un minuscule génie se tenait là, au centre de son corps, et entretenait un feu. C'était doux. C'était l'amour...

Adeline releva la tête en essuyant ses larmes, rangea l'améthyste dans sa poche.

— Je suis là, Jacob, lui dit-elle d'une voix étranglée par l'émotion. Et je serai avec toi jusqu'à la fin, mon amour !

Il se détacha d'elle en la regardant, étonné.

— Tu m'aimes ?

— Oui, je t'aime, gros bêta ! Tes lettres m'ont envoûtée.

Il la fixa, hébété, puis essuya ses larmes du revers de sa manche. Adeline le trouva beau, malgré ses yeux rougis et son visage maigre. Elle lui demanda :

— Pourquoi tu ne m'as rien dit ?

Il s'approcha d'elle, glissa une main dans ses cheveux et lui baisa le front.

— J'avais peur… Adeline, je t'adore depuis que je te connais. Pendant toutes ces années, je te voyais avec ces garçons que tu refusais ou que tu délaissais après un moment. Et moi, je ne voulais pas que tu me rejettes aussi. Je n'aurais pas été capable de survivre à ça. Je t'aimais trop ! Je me serais peut-être enlevé la vie, comme je voulais le faire cette nuit…

— Pourquoi cette nuit ?

— Aujourd'hui, quand tu m'as dit que tu croyais que Daniel était l'auteur de tes lettres, j'ai commencé à perdre espoir. Je t'ai accompagnée à l'hôpital, espérant que tu t'aperçoives de ton erreur, mais non… Te voir assise près de lui, à le regarder avec tant d'admiration, ça m'a crevé le cœur. Quand tu as vu le pont, cet après-midi, en me disant que tu avais peur que Daniel saute, je me suis dit que je venais de perdre mes dernières chances d'être un jour aimé par toi. J'ai donc décidé que c'était là que j'allais en finir. Là où tu croyais que ton Daniel voulait se tuer…

Adeline, je ne suis pas fier de ce que je m'apprêtais à faire, mais je t'avais perdue. Je souhaitais mourir, ne plus vivre avec cette souffrance. Tu ne m'aimais pas ! Et j'avais tant besoin de toi…

D'autres larmes montèrent aux yeux d'Adeline. Intimidée, elle baissa la tête. Son regard s'accrocha aux mains longues et squelettiques de Jacob. Elle les enveloppa dans les siennes, en silence.

Soudain, le souvenir du visage de l'Amérindien qui s'était superposé à celui de Daniel l'effleura. La seconde suivante, elle revit sa toute dernière vision dans laquelle, ne faisant plus qu'un avec Madeleine, elle avait fait l'amour avec cet homme. Elle frémit : les deux hommes avaient le même visage ! Aussitôt, elle pensa aux Naacals. Selon ce que les deux auteurs des livres qu'elle avait lus avaient raconté sur ce peuple et leurs croyances, l'Amérindien du passé pourrait être Daniel dans cette vie-ci ! À cette idée, l'adolescente se mordit la lèvre. Une douleur élança jusque dans son ventre. Cette perspective la rendait si mal à l'aise qu'au plus profond d'elle-même, elle sentait que ce n'était pas SA vérité. *Les Naacals,* se dit-elle, *peuvent bien croire ce qu'ils veulent croire. Pour l'instant, cette conception des choses ne me va pas du tout ! C'est trop angoissant*... Elle inspira profondément pour se calmer.

Telle une pensée soufflée par un ange, une idée s'incrusta dans son esprit. *Peut-être que la pierre a voulu me montrer que cette femme, Madeleine, s'était trompée en succombant à la passion qu'elle ressentait pour l'Amérindien... Comme moi, je me serais trompée pour ce qui est de mes sentiments et de l'auteur des lettres anonymes? Ça expliquerait, en tout cas, pourquoi le visage de l'Amérindien se serait superposé à celui de Daniel dans la chambre de l'hôpital.*

Fascinée, Adeline estimait que la pierre avait tout mis en œuvre pour qu'elle fasse la connexion entre les deux événements: celui du passé et celui d'aujourd'hui. Ainsi, l'améthyste aurait joué le rôle d'une fenêtre s'ouvrant sur une autre époque dans le but de la prévenir des projets sinistres de son ami. Comme Geunam l'avait expérimenté pour lui-même...

Adeline s'avouait encore incertaine de ses suppositions. Par contre, cela lui plaisait de songer qu'elle avait réussi à sauver Jacob. Mais, se rembrunit-elle en caressant les doigts de ce dernier, avec une boule dans la gorge, de quoi l'avait-elle sauvé? De la mort? Sûrement pas, puisqu'il avait le cancer et allait mourir ! Combien de temps leur restait-il maintenant pour vivre leur amour ?

Une douceur effleura soudain le nez de l'adolescente. Ses réflexions s'arrêtèrent aussitôt. Jacob s'était approché d'elle pour l'embrasser voluptueusement. Adeline plongea ses yeux embués de larmes dans le regard épris que lui envoyait le jeune homme et lui rendit son baiser. Puis, d'une faible voix, Jacob poursuivit sa confession :

— Je ne t'ai jamais avoué mon amour parce que j'avais trop peur que tu me fasses mal, Adeline. Cette peur grandissait depuis que je suis tombé amoureux de toi. Elle me collait à la peau, elle me hantait jour et nuit ! C'était terrible à vivre ! C'est pour ça que parfois je m'évadais à l'intérieur de moi, comme tu disais. J'essayais de m'accrocher au rêve que je m'étais inventé et dans lequel nous formions un couple heureux.

Jacob s'arrêta subitement, assailli par un trop-plein d'émotion. Ses lèvres tremblotaient.

— Tu m'as sauvé..., murmura-t-il.

Il serra Adeline contre lui, très fort. Sa main droite se faufila sous le chandail de l'adolescente pour caresser son dos. Adeline frissonna d'un plaisir encore jamais goûté. Jacob la contemplait de ses yeux verts qui reflétaient cette passion qu'elle avait pu voir dans ses lettres.

— Tu es si belle ! Tu n'as aucune idée comme je t'aime…

Il pressa ses hanches contre celles d'Adeline pour ensuite l'embrasser avec ardeur. Le cœur de la jeune femme s'ouvrit, comme on ouvre à grand coup la clôture d'un enclos enfermant depuis trop longtemps des chevaux sauvages. Toutes ses craintes, ses tristesses, les étrangetés qu'elle avait vécues, et qui s'entassaient dans son corps, prirent soudain la forme de fougueux étalons noirs galopant au vent, au centre d'un tourbillon de feuilles mortes, pour disparaître à jamais. Un courant d'amour la traversa. Elle sentit Jacob tressaillir dans ses bras un instant, comme s'il avait été touché par cette électricité lumineuse. Adeline s'imagina alors que la peur que Jacob ressentait depuis tant d'années s'était tout d'un coup effacée grâce à cet amour.

Un immense bonheur l'envahit.

20

La première fois

Pour Adeline, le mois de novembre s'écoula trop vite. Chaque seconde passée avec Jacob s'envolait à toute allure. Elle voulait les rattraper, les retenir afin de les graver à jamais sur sa peau et dans son cœur, mais tels des grains de sable, ces secondes précieuses glissaient entre ses doigts et s'enfuyaient. À son grand désarroi, on avait retourné le sablier...

Les jours de bonheur s'égrenaient. Et l'urgence de vivre cet amour propulsait sans arrêt Adeline et Jacob dans les bras l'un de l'autre. Ils ne se lâchaient plus : à l'école, chez Jacob, chez Adeline ou chez Marco, qui savait tout depuis le début, bien entendu !

Jacob s'était transformé, son visage rayonnait. Des ailes semblaient avoir poussé dans son dos. Un ravissement indicible l'incitait à se lever le matin, à marcher, à manger, à rester en vie... Il dormait mieux. Il avait recouvré l'appétit. Il ne vomissait plus. Adeline l'aimait. Quant à Jacob, son plus grand rêve s'était réalisé ! Enfin, il pouvait la prendre dans ses bras et l'embrasser comme il le désirait ! Il avait même commencé à espérer que son cancer disparaisse. Mais lorsqu'une douleur dans la tête le clouait au lit, il déchantait. Le monstre habitait toujours son corps. Les médecins avaient été clairs avec lui. Au stade où sa tumeur au cerveau était parvenue, il était impossible qu'elle se résorbe.

Le jeune homme souhaitait donc terminer sa vie sans rien y changer, et fréquentait l'école comme si de rien n'était, quand il le pouvait, avec Adeline à ses côtés.

Aux yeux de cette dernière, même si l'ombre de la fatalité planait sur lui, Jacob embellissait de jour en jour. L'affection qu'elle ressentait à son égard débordait d'elle-même, comme l'eau s'échappant d'un vase trop plein, s'écoulant sur le sol et aspergeant tout autour. Sa passion se déversait sur Jacob : elle l'inondait de baisers, de sourires, de mots secrets et intimes, de caresses, d'attentions... C'était comme si elle cherchait désespérément à conjurer le mauvais sort. Une partie d'elle-même refusait de croire que Jacob allait mourir. Elle était si heureuse avec lui ! Enfin, s'avouait-elle le soir avant de s'endormir, elle avait trouvé le garçon avec qui elle souhaitait faire l'amour pour la première fois ! Jacob, elle en était à présent certaine, était le bon…

La jeune femme vivait donc intensément chaque seconde passée avec son amoureux. À l'école, seuls les cours les séparaient.

Absent de la polyvalente depuis un mois, Daniel fut enfin de retour pour reprendre ses classes, avec un bras dans le plâtre et quelques points de suture sur le crâne. On disait qu'il avait fait une très mauvaise chute en jouant au racquetball et que sa tête avait heurté violemment le plancher. Désormais, Adeline ne voyait plus son enseignant de la même façon. Lorsqu'elle le croisait dans les corridors ou qu'elle devait le regarder pendant la classe de français, un incroyable malaise se logeait au creux de son ventre. Elle percevait en lui la présence de l'homme de la tribu, avec son visage aux traits durs et ses lèvres minces. Cette présence lui rappelait que si elle avait eu une relation amoureuse avec Daniel, elle aurait commis une grave erreur…

Vinrent la première neige, le premier week-end de décembre et la première fois qu'Adeline et Jacob firent l'amour.

Leurs parents, d'un commun accord, avaient réservé une suite dans une auberge près d'un lac en montagnes, dans les Cantons-de-l'Est. Les deux adolescents y étaient allés en voiture, un vendredi soir. Le pavé était recouvert d'une couche blanche étincelante. Les arbres complètement dénudés bordaient la route qui menait au gîte.

Cette nuit-là, ils avaient dormi ensemble, chacun enveloppé dans son pyjama, un peu gênés, mais heureux d'être si près l'un de l'autre. Adeline avait déposé l'améthyste sur la petite table à proximité du lit. La semi-précieuse dégageait une lumière mauve.

Très tôt le lendemain matin, ils s'étaient réveillés dans la noirceur de l'aube. Le cri d'une mésange retentissait par delà la fenêtre. Une faible clarté perçait l'obscurité. Encore endormis, cheveux en bataille, les amoureux s'étaient déshabillés dans un silence approbatif, sous le regard animé de l'autre. Puis ils s'étaient étendus sous les couvertures.

— Jacob, dit doucement Adeline à son oreille, c'est la première fois pour moi...

— Je sais. Pour moi aussi !

— Euh... Est-ce que tu as ce qu'il faut ?

Il l'embrassa sur les paupières, le nez, la bouche, le cou, puis il plongea son regard dans le sien. L'ardeur qu'Adeline y perçut éveilla une chaleur envoûtante au creux de ses hanches. L'envie de s'abandonner dans ses bras devenait de plus en plus forte.

— Oui, j'ai tout ce qu'il faut. Sois sans crainte.

Il effleura d'une main la chevelure désordonnée de la jeune femme.

— Laissons nos corps nous conduire, lui suggéra-t-il simplement.

Conquise, Adeline lui mordilla le menton. Il soupira, les yeux embrasés, mais remplis d'une profonde tristesse.

— Comme je t'aime ! Si tu savais ! Tu es belle, un rêve... Je veux apporter le souvenir de ces moments lorsque je partirai.

— Jacob...

Un vent de passion s'abattit sur eux et les propulsa dans un univers de sensations insoupçonnées. Ils firent l'amour avec une tendresse enflammée et quelques maladresses çà et là. Adeline goûta chacune des caresses de son amant inexpérimenté, chacun de ses baisers, de ses soupirs. Jacob la prit avec une délicate urgence. Adeline se livra en toute confiance pour savourer pleinement cette volupté enivrante.

Le couple s'assoupit enfin, heureux et amoureusement entrelacé, à la douce mélodie des mésanges qui piaillaient joyeusement.

Une heure plus tard, Adeline ouvrit les yeux en tournant la tête vers Jacob. Il dormait, couché sur le ventre. Avec ses doigts, elle démêla quelques mèches rebelles de sa crinière échevelée. *Comme il est beau ! Et si calme…* Une incroyable émotion la submergea tout à coup. Ce courant passa en elle comme une brise automnale transperçant les branches dénudées des arbres, en toute liberté. Au même moment, des rayons de soleil percèrent à travers les rideaux de la fenêtre et tombèrent sur le lit. À la vue de cette lumière entrant dans la pièce, un bien-être envahit la jeune femme.

Son regard s'attacha à son porte-bonheur qui reposait sur la table de chevet. Un éclat du jour s'immisçait à l'intérieur de la semi-précieuse et la faisait miroiter. Du mauve et du rose s'en échappaient. Adeline fronça les sourcils. Des étincelles jaillirent tout à coup de la pierre, comme elle avait l'habitude d'en voir juste avant ses sorties hors de son corps. Ces petites particules scintillantes s'élevaient à quelques centimètres au-dessus de la table de chevet. Le cœur d'Adeline palpitait. Elle se redressa pour mieux observer le phénomène. Pendant plusieurs secondes, les minuscules billes illuminées formèrent une colonne en perpétuel mouvement. L'améthyste monta dans les airs, attirée par ces particules, puis s'arrêta au centre de ce rai fluorescent. La seconde d'après, elle s'en éjecta pour survoler le lit, tel un ballon ensoleillé soufflé à l'hélium.

Adeline, ébahie et sans voix, demeurait immobile. Que se passait-il donc encore ? Allait-elle subir un autre voyage extracorporel ? La jeune femme contempla Jacob, se demandant si elle devait le tirer de son sommeil. Les yeux fermés, le visage détendu, son amant voguait paisiblement dans le monde des rêves. Il semblait si bien dormir qu'Adeline décida finalement de ne pas le réveiller, malgré son envie de lui montrer la preuve du pouvoir de l'améthyste.

Adeline orienta de nouveau son regard sur la pierre qui dansait au-dessus d'elle. La semi-précieuse se déplaça de gauche à droite et de droite à gauche avant de s'immobiliser en haut de Jacob. Elle se mit soudain à tourner sur elle-même à une vitesse fulgurante. Une myriade de faisceaux lumineux multicolores se répandait tout autour. L'améthyste descendit alors vers le corps du jeune homme. Elle suivit le long de sa colonne vertébrale, caressant sa peau de ses rais, puis surplomba sa tête. Au centre de ce ballon ensoleillé se produisit une petite explosion : la pierre mauve devint éclatante, éblouissante, aveuglante. Adeline dut se cacher les yeux. Une lumière incandescente marquée de sillons orange recouvrait la tête de Jacob, diffusant une chaleur intense dans la pièce. Puis, le phénomène s'estompa. L'améthyste reprit sa forme et sa couleur habituelle. Comme une roche qu'on aurait tout juste lancée par la fenêtre, elle tomba sur les draps du lit. Adeline la prit aussitôt. Une douce tiédeur pénétra ses doigts.

Un effluve de fleurs des champs, qu'elle reconnut immédiatement, lui titilla soudain les narines.

— Geunam ! Qu'est-ce qui arrive ? lui demanda-t-elle en fixant des yeux la pierre mauve qu'elle tenait à la hauteur de son nez.

L'améthyste devint blanche et Adeline y distingua le visage de Geunam.

— Tu le verras bientôt…, lui dit-il dans un sourire avant de disparaître.

— Tu verras… Tu verras…, ronchonna-t-elle.

Elle se coula sous les draps et s'agglutina contre la chair de son amant. Elle sentit sa chaleur se répandre sur sa peau. Un doux ravissement calma son agacement. Avec douceur, elle embrassa la nuque de Jacob, et déposa sa tête contre la sienne. Comme elle était bien près de lui ! Toujours endormi, ce dernier se retourna et glissa une main sur le corps de sa belle. Sa main s'arrêta sur le sein droit d'Adeline, et l'agrippa. Un frisson de plaisir saisit la jeune femme. Elle ferma les yeux, souhaitant arrêter le temps et conserver ce moment dans un bocal de verre afin de pouvoir l'admirer tous les jours…

21

Un baiser sur le perron

Presque cinq mois plus tard.

Des oiseaux piaillaient au-dessus de la seule église de la ville. C'était un 21 avril, une journée de printemps au ciel bleu sans nuages, parfaite. Le tintement des cloches retentit, brisant le silence du samedi matin. Deux grandes portes s'ouvrirent pour laisser sortir un couple de mariés suivis des membres de leurs familles. Des rires, des mots, des regards s'échangeaient sur le perron. Les gens s'entassaient sur les marches. Au centre d'eux, un gros ventre rond pointait fièrement sous la robe blanche et jaune de la mariée. Adeline s'approcha de la femme enceinte.

— Tu es la plus jolie, maman.

Sa mère lui sourit.

— S'il vous plaît ! Attention ! Placez-vous pour la photo, là !

Le photographe gesticulait dans tous les sens en beuglant ses directives.

Adeline s'installa à la gauche de son père et lui prit la main. Le marié lui fit un clin d'œil. Une douce poigne agrippa l'autre main d'Adeline. La chaleur de ce contact la remplit de bonheur. Elle tourna la tête vers Jacob qui la contemplait de ses yeux verts amoureux.

— À quand notre tour, Adeline ?

Elle pouffa de rire. Puis elle l'embrassa.

— Hé ! Hé ! Hé ! Soyez sages, vous deux, lança une voix derrière eux.

C'était Marco qui s'approchait, accompagné de sa nouvelle petite amie, une fille mécano, de quatre ans son aînée.

— Marco, il est toujours comme ça, ton cousin ? lui demanda Adeline en parlant du photographe.

— Oui, mais c'est le meilleur en ville !

— Attention ! avertissait le photographe. Un...

Adeline replaça une couette ou deux dans sa chevelure, remonta la cravate de Jacob, qui s'était légèrement détachée.

— Deux...

Elle lui serra la main avec vigueur.

— Trois…

Jacob l'observa du coin de l'œil avec un sourire. Une lueur scintillait dans son regard.

— « Cheese » !

— Non ! Jacooob ?

Adeline n'eut pas le temps de réagir : au moment où l'appareil fit « clic », les lèvres de Jacob l'embrassaient avec fougue.

Marco et sa compagne rirent aux éclats.

Une volée de mésanges survola la troupe.

— Je t'aime, Adeline…, dit Jacob après leur langoureux baiser.

22

Aujourd'hui

Septembre.

Adeline est assise sur les rebords de la fenêtre grande ouverte de sa chambre. Doucement, elle rouvre les yeux, émerge de ses souvenirs. Elle soupire. Elle n'a pas vu Jacob depuis un mois, car il est parti en voyage avec sa mère en Europe.

La pierre entre ses doigts, la jeune femme l'observe, à la hauteur de son nez. Un rayon de soleil pénètre à l'intérieur de la semi-précieuse et la fait miroiter. Pendant quelques secondes, des éclats mauves et roses en jaillissent. Puis, l'adolescente glisse une main dans ses cheveux, en pinçant les lèvres.

— Chère améthyste, tu as fait un miracle… non ?

Adeline se rappelle les jours qui ont suivi le moment où la lumière aveuglante de la pierre avait recouvert le crâne de Jacob.

Le pauvre avait dû se rendre à l'hôpital de toute urgence, car une lancination à la tête l'avait réveillé deux matins plus tard. Les médecins lui avaient fait passer une panoplie de tests pour surveiller l'évolution de la tumeur. Tous les jours, Jacob hurlait de douleur, et Adeline restait à son chevet, l'améthyste entre les doigts. De toute son âme, l'adolescente espérait la fin de ses souffrances, d'une manière ou d'une autre.

À l'aube du sixième jour suivant ce réveil brutal, Jacob s'était levé avec la tête légère. Adeline sommeillait alors sur une chaise au pied du lit. Elle se souvient que le jeune homme avait embrassé ses cheveux.

— Adeline, réveille-toi ! s'était-il écrié. Je n'ai plus mal ! Je n'ai plus mal !

Des infirmières, alertées par la voix du garçon, avaient accouru. Le malade avait déclaré qu'il se sentait bien et qu'il voulait manger un hamburger avec des frites.

On lui avait fait subir d'autres examens. Sur les radiographies, la tumeur avait mystérieusement disparu. C'était du jamais vu. Jacob avait été à la une des journaux locaux pendant plusieurs semaines. Pour tout le monde, cette rémission relevait du mystère. On parlait d'un prodige…

Adeline, de son côté, avait sa petite idée sur la cause réelle de cette guérison miraculeuse. Elle avait tapoté son pantalon pour sentir la forme de la pierre qui reposait dans le fond de sa poche. À l'hôpital, en entendant cette incroyable nouvelle, elle avait pleuré de soulagement. Son vœu avait été exaucé : la douleur de Jacob avait cessé et, désormais, elle pourrait lui exprimer son amour pour le restant de ses jours.

Après sa rémission, le jeune homme avait changé. Toujours très épris d'Adeline, il la comblait d'innombrables attentions amoureuses. Mais, ayant frôlé la mort de près, Jacob désirait aussi vivre sa vie à fond, ne rien manquer, accomplir d'autres rêves…

Adeline soupire. Elle s'ennuie. Elle souhaiterait être avec lui, entendre son rire, lui faire l'amour…

Une brise soudaine se lève. Une troisième feuille se détache de l'érable et pénètre dans la chambre pour rejoindre les deux autres sur le sol près des boîtes. Adeline baisse la tête pour apercevoir son père en train de laver sa nouvelle voiture, une Volvo noire de l'année. Affublé d'un chapeau mexicain et d'un bermuda hawaïen, il danse en fredonnant des airs de David Bowie tout en savonnant l'automobile. Étendue sur une chaise longue sous un parasol, sa mère n'arrête pas de rire. *De vrais tourtereaux, ces deux-là!* pense Adeline. Sa petite sœur, qui a déjà deux mois, roupille dans les bras d'Ève, la panse pleine de lait maternel. Elle s'appelle Ariane.

Adeline remarque que son voisin Marco lui fait signe de la main.

— Adeline, as-tu des nouvelles de Jacob? lui crie-t-il.

— Non, pas encore. Mais je devrais bientôt recevoir une lettre de lui. Il me manque.

— Moi aussi, je m'ennuie de ses blagues! lance-t-il en lui faisant un clin d'œil complice.

Il repart en direction du garage, assis sur son tracteur nouveau modèle, signé Marco Chouinard.

Adeline plonge une main dans sa poche de pantalon pour en ressortir son vieux canif. Il est temps de faire ce pour quoi elle est revenue ici. Elle regarde attentivement le minuscule chemin de fer sans rails qu'elle a gravé sur le cadre de sa fenêtre. Elle ouvre son couteau et avec le bout de la lame, elle trace un autre trait, creux et parallèle aux autres.

— Celui-là est pour Jacob... en espérant qu'il soit le dernier.

La jeune femme se met à songer à sa vie actuelle, mais aussi à son avenir qui se dessine.

Depuis quinze jours, Adeline a commencé le cégep, en sciences pures et appliquées. Elle adore les mathématiques et les sciences, mais ne sait pas encore quelle profession lui conviendrait le mieux. En optant pour ce programme, la jeune femme a gardé toutes les portes ouvertes pour choisir la bonne carrière.

Aujourd'hui, Adeline repartira avec les dernières boîtes que sa mère a si bien empaquetées pour elle. Depuis un mois, la jeune femme vit dans un appartement. C'est un petit trois et demi, semi-meublé, situé à dix minutes en auto du cégep. La décoration n'est pas encore à son goût, mais elle y travaille.

Son père lui a vendu sa vieille voiture pour une modique somme. Adeline a déniché un emploi de commis libraire à temps partiel Aux Vieux Papiers, où elle avait trouvé son livre sur le continent Mu. C'est Juliette qui lui avait recommandé d'aller jeter un coup d'œil dans ce coin-là. Elle connaissait le propriétaire, qui lui avait annoncé récemment le départ d'un employé. Adeline avait sauté sur l'occasion et elle avait obtenu le poste.

Soudain, un individu transportant un gros sac sous le bras s'approche de la Volvo que lave le père d'Adeline. C'est le facteur. La jeune femme l'observe, un pincement au cœur. L'homme se dirige vers son père.

Ils échangent une poignée de main et engagent la conversation. La mère d'Adeline se lève pour les rejoindre avec son bébé toujours endormi dans ses bras. Le facteur se penche pour contempler Ariane. Puis, il donne une pile de paperasse à son père et repart en les saluant.

Le nouveau papa prend le temps d'examiner les enveloppes. Il s'attarde à l'une d'elles, la retournant de tous les côtés. Relevant la tête en direction de sa fille, il brandit la lettre au bout de son bras.

— Adeline ! lui crie-t-il. Tu as reçu du courrier...

TABLE DES MATIÈRES

ANNIE PERREAULT

Amoureuse de ses fils, Rafaël et Benjamin, de son conjoint Pierre, de son chat Pacha, de ses livres, du soleil, des étoiles, des mots, de ses idées plein la tête, Annie Perreault a toujours écrit. Petite, elle créait ses propres livres avec du papier plié et broché. Son plus vieux rêve était de devenir un jour une magicienne. À 39 ans, elle l'est enfin devenue, avec la création de ce livre, après un séjour d'une dizaine d'années comme enseignante des mathématiques dans une école secondaire. Fascinée par les histoires d'amour, le mystère et le fantastique, cette auteure a jumelé ces genres pour écrire *Adeline, porteuse de l'améthyste*, son premier roman pour la jeunesse.

Collection Conquêtes

40. **Le 2 de pique met le paquet,** de Nando Michaud
41. **Le silence des maux,** de Marie-Andrée Clermont en collaboration avec un groupe d'élèves de 5e secondaire de l'école Antoine-Brossard, mention spéciale de l'Office des communications sociales 1995
42. **Un été western,** de Roger Poupart
43. **De Villon à Vigneault,** anthologie de poésie présentée par Louise Blouin
44. **La Guéguenille,** nouvelles de Louis Émond
45. **L'invité du hasard,** de Claire Daignault
46. **La cavernale, dix ans après,** de Marie-Andrée Warnant-Côté
47. **Le 2 de pique perd la carte,** de Nando Michaud
48. **Arianne, mère porteuse,** de Michel Lavoie
49. **La traversée de la nuit,** de Jean-François Somain
50. **Voyages dans l'ombre,** nouvelles d'André Lebugle
51. **Trois séjours en sombres territoires,** nouvelles de Louis Émond
52. **L'Ankou ou l'ouvrier de la mort,** de Daniel Mativat
53. **Mon amie d'en France,** de Nando Michaud
54. **Tout commença par la mort d'un chat,** de Claire Daignault
55. **Les soirs de dérive,** de Michel Lavoie
56. **La Pénombre Jaune,** de Denis Côté
57. **Une voix troublante,** de Susanne Julien
58. **Treize pas vers l'inconnu,** nouvelles fantastiques de Stanley Péan
60. **Le fantôme de ma mère,** de Margaret Buffie, traduit de l'anglais par Martine Gagnon
61. **Clair-de-lune,** de Michael Carroll, traduit de l'anglais par Michelle Tisseyre
62. **C'est promis ! Inch'Allah !** de Jacques Plante, traduit en italien

63. Entre voisins, collectif de nouvelles de l'AEQJ
64. Les Zéros du Viêt-nan, de Simon Foster
65. Couleurs troubles, de Lesley Choyce, traduit de l'anglais par Brigitte Fréger
66. Le cri du grand corbeau, de Louise-Michelle Sauriol
67. Lettre de Chine, de Guy Dessureault, finaliste au Prix du Gouverneur général 1998, traduit en italien
68. Terreur sur la Windigo, de Daniel Mativat, finaliste au Prix du Gouverneur général 1998
69. Peurs sauvages, collectif de nouvelles de l'AEQJ
70. Les citadelles du vertige, de Jean-Michel Schembré, prix M. Christie 1999
71. Wlasta, de Laurent Chabin
72. Adieu la ferme, bonjour l'Amazonie, de Frank O'Keeffe, traduit de l'anglais par Hélène Filion
73. Le pari des Maple Leafs, de Daniel Marchildon
74. La boîte de Pandore, de Danielle Simd
75. Le charnier de l'Anse-aux-Esprits, de Claudine Vézina
76. L'homme au chat, de Guy Dessureault, finaliste au Prix du Gouverneur général 2000
77. La Gaillarde, de Denis et Simon Robitaille
78. Ni vous sans moi, ni moi sans vous : la fabuleuse histoire de Tristan et Iseut, de Daniel Mativat
79. Le vol des chimères : sur la route du Cathay, de Josée Ouimet
80. Poney, de Guy Dessureault
81. Siegfried ou L'or maudit des dieux, de Daniel Mativat
82. Le souffle des ombres, d'Angèle Delaunois
83. Le noir passage, de Jean-Michel Schembré
84. Le pouvoir d'Émeraude, de Danielle Simard
85. Les chats du parc Yengo, de Louise Simard
86. Les mirages de l'aube, de Josée Ouimet

87. **Petites malices et grosses bêtises**, collectif de nouvelles de l'AEQJ
88. **Les caves de Burton Hills,** de Guy Dessureault
89. **Sarah-Jeanne**, de Danielle Rochette
90. **Le chevalier des Arbres,** de Laurent Grimon
91. **Au sud du Rio Grande,** d'Annie Vintze
92. **Le choc des rêves,** de Josée Ouimet
93. **Les pumas**, de Louise Simard
94. **Mon père, un roc!** de Claire Daignault
95. **Les rescapés de la taïga,** de Fabien Nadeau
96. **Bec-de-Rat**, de David Brodeur
97. **Les temps fourbes**, de Josée Ouimet
98. **Soledad du soleil**, d'Angèle Delaunois
99. **Une dette de sang,** de Daniel Mativat
100. **Le silence d'Enrique**, d'Annie Vintze
101. **Le labyrinthe de verre,** de David Brodeur
102. **Evelyne en pantalon**, de Marie-Josée Soucy
103. **La porte de l'enfer,** de Daniel Mativat
104. **Des yeux de feu,** de Michel Lavoie
105. **La quête de Perce-Neige,** de Michel Châteauneuf
106. **L'appel du faucon,** de Sylviane Thibault
107. **Maximilien Legrand, détective privé,** de Lyne Vanier
108. **Sous le carillon,** de Michel Lavoie
109. **Nuits rouges,** de Daniel Mativat
110. **L'abîme du rêve,** de Daniel Mativat
111. **Quand vous lirez ce mot,** de Raymonde Painchaud
112. **Un sirop au goût amer,** d'Annie Vintze
113. **Adeline, porteuse de l'améthyste,** d'Annie Perreault
114. **Péril à Dutch Harbor,** de Sylviane Thibault
115. **Les anges cassés,** de Lyne Vanier
116. **... et je jouerai de la guitare,** de Hélène de Blois